# サル化する世界

内田樹

文藝春秋

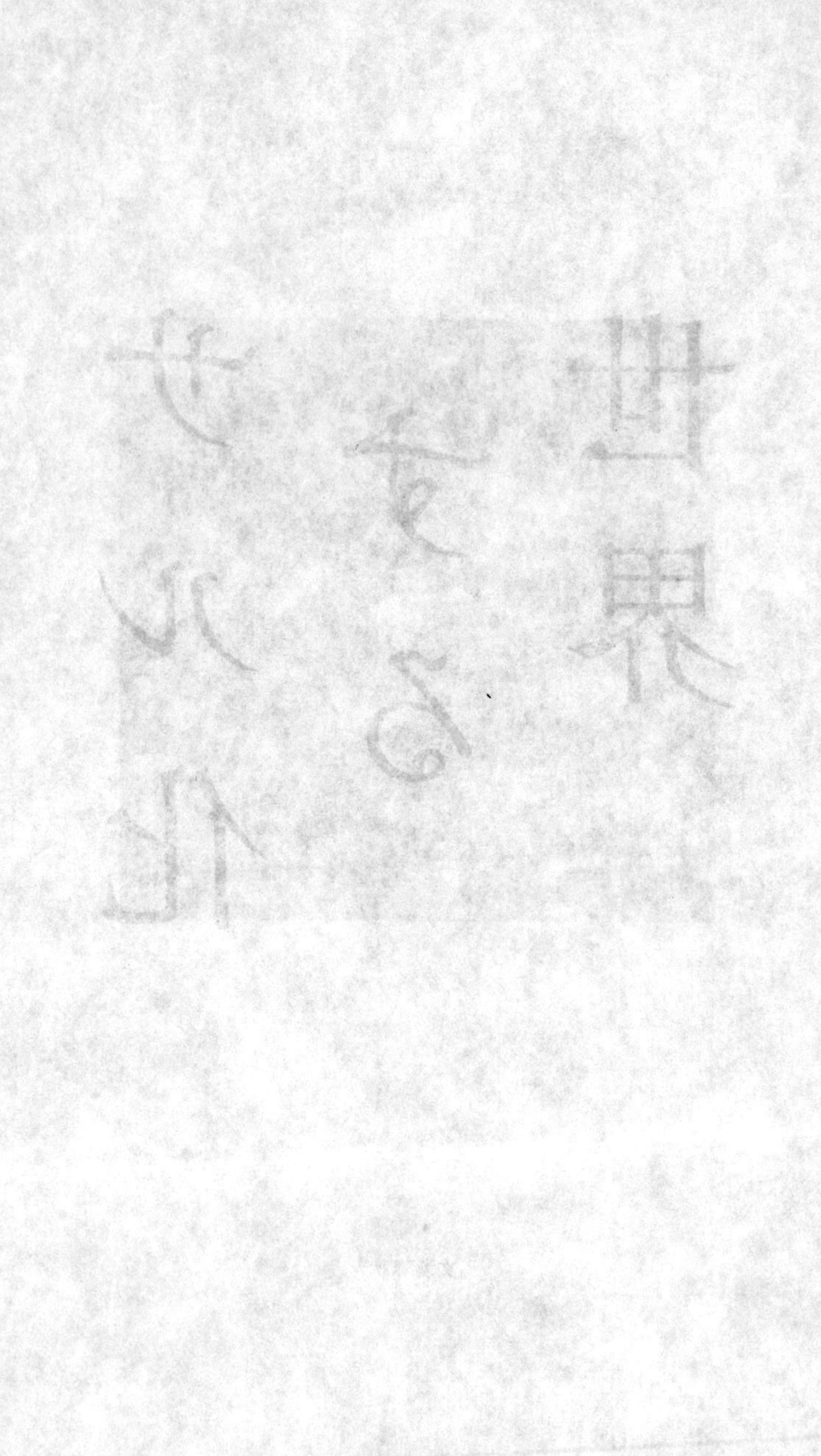

# なんだかよくわからないまえがき

みなさん、こんにちは。内田樹です。

今回は『サル化する世界』といういささか挑発的なタイトルのエッセイ集であります。ブログに書いたものと、いくつかの媒体に発表した時事エッセイを文藝春秋の山本浩貴君が手際よく一冊にまとめてくれました。山本君のご尽力と、寛容と忍耐にあわせて謝意を表します。いつもありがとう。

さて、「サル化する世界」というのは、ブログ記事につけたタイトルだったんですけれど、誤解を招きやすいタイトルではありますね。実際に、こういうタイトルの本を出しますよとTwitterに書いたら、すぐに「サルをバカにするな」とか「お前は差別主義者か」というようなリアクションがあってびっくりしました。

この本は「朝三暮四」の狙公の飼ってるサルの思考回路の特性を考究した話から始まります。ですから、正確に書くと「『朝三暮四』におけるサルの論理形式を内面化した人たちがいつの間にかマジョリティを形成しつつある世界について」ということになります。でも、ちょっと長すぎるので、短くしたわけです。現実のお猿さんたちに対して、僕は特段の差別感情も特段の愛情も抱いてはおりません。ほんとに。

でも、このリアクションそれ自体もどうやら「サル化」の一つの徴候を表しているような気がします。「まえがき」としてその話をしたいと思います。

僕の年若い友人で、大学の先生をしている人がいます。彼がさる学会のあと、同年配の研究者たちと話したときに、談たまたま僕のことに及んだそうです。そしたら、その場のほとんどの方がたが「内田はいかん」ということで意見の一致を見たそうです。そのことをご注進くださいました。「内田さん、若手の学者の間では評判悪いですよ」と。

それを聴いて、僕も好奇心にかられて、身を乗り出して「ねえ、どこがダメなの?」と訊きました。すると意外な答えが返ってきました。

「内田は自分の専門分野以外のことについて口を出すのがいけない」というのです。

これは困りました。

「専門分野以外」といっても、そもそも僕の専門分野ってなんだかよくわからないからです。僕は学部と大学院の専攻は「仏文」でしたけれど、「仏文」というのは実は「フランス文学」限定ではなくて、「フランス語で書かれたテクストは何でも扱ってよい」というたいへんオープンマインデッドな学科だったのです。

僕の指導教官であった足立和浩先生は現代フランス哲学が専門でしたけれど、小説も、精神分析も、文化人類学も、記号論も、興味のあるものは手当たりしだいに論じていました。ラカンやレヴィ゠ストロースやフーコーやレヴィナスを日本の読者に紹介したのもおかたは好奇心旺盛な仏文学者たちでした。

そういう野放図な「仏文らしさ」は90年代には廃れてしまいましたけれど、僕が大学院にいた頃までの仏文研究室は、フランス語で書かれたものなら何を研究してもよいというずいぶん牧歌的な研究環境でした。

そのせいもありまして、僕は学部ではメルロー゠ポンティの身体論で卒論を書き、修論はモーリス・ブランショの文学理論を論じ、その後19世紀末フランスの極右政治思想と反ユダヤ主義研究に転じて、並行してエマニュエル・レヴィナスの著作を翻訳しながら、アルベール・カミュの再評価を企てるという支離滅裂な学問的形成過程をたどりました。どの領域についてもけっこうな数の学術論文を書きましたし、いくつかは学会内部的にも評価されました。

神戸女学院大学に定職を得てからは、大学のこれまた開放的な雰囲気をよいことに、映画論、記号論、教育論、アメリカ論、中国論、マンガ論と研究対象を広げ、そのうちに気がつけば政治や経済や歴史についてまで論じるようになっていた……というわけです。

そういう人間をつかまえて「専門分野以外のことに口を出すな」と言われても困ります。

「専門分野以外」と言ったら、もう全部そうなんですから。

でも、不思議な気がしました。

若い学者というのは、どちらかというと「好きなことをしたい」と思うものじゃないかなと思っていたからです。

どうも違うらしい。

若い研究者が「既成権威に喧嘩を売って、老人たちの顰蹙（ひんしゅく）を買ってのしあがる」というスタイルは今も昔も変わるはずがありません。ということは、僕がもし彼らから「既成権威を体現する老人」と見なされているのだとすると、僕のこの「専門に縛られず、好きなことをじゃんじゃんやる」というスタイルそのものが彼らからすると抑圧的な因習に感じられているということになります。

そういう理屈なら、わかります。

彼らがおのれの批評性や知性の質を「専門領域から一歩も踏み出さない」知的抑制によって基礎づけているのだとしたら、辻褄が合う。

そう考えたら、いろいろなことが腑に落ちました。

そうか、今の日本人たちは「身のほど」を知ることが端的に「よいこと」だと思うようになったのか。身のほどを知り、分際をわきまえ、身の丈にあった生き方をすることが強く推奨されており、それから外れて、おのれの分際をわきまえずに、身の丈を超えた生き方をする人間は批判と処罰の対象になる、と。そう考えたら、いろいろなことが繋がりました。

3年前に、Foreign Affairs Magazine が日本の大学教育を論じたことがありました。その中でインタビューを受けた日本の大学生たちが、外国人ジャーナリストに自分たちの置かれている状態を説明するときに選んだのが次の三つの形容詞でした（あまり印象的だったので、手帳にメモしておいたのです）。

それは trapped, suffocating, stuck の三つでした。「罠にはまった」「息ができない」「身動きできない」です。学生たちは、大学について、制度がどうであるとか、カリキュラムがどうであるとかいう概念的な話ではなく、「狭いところに閉じ込められていて、つらい」という身体的印象を語っていたのでした。頭でこしらえたのではない、実感のこもったこの言葉からは、今の日本社会の「生きづらさ」の本質が透けて見えるように僕には思われました。

それは「身のほどを知れ、分際をわきまえろ」という圧力が日本社会のすみずみに行き渡っていることを表している。そして、たぶんそうだと思うのですが、この「身のほどを知れ」という圧力は、表面的には「自分らしく生きる」という教化的なメッセージの美辞麗句をまとって登場してくる。

「自分探しの旅」とか「自分らしさの探求」というような言葉を僕はこれまでずっと「なん

だか嫌な感じの言葉だな」と思っていました。それは、そういうことを口にする人間が、しばしば「管理する側」の人間だったからです。彼らは別に子どもたちや若者たちが成熟し、変化して、自由に生きることを求めているわけではありません。そんなはずがない。だって、そんなことになったら「管理しにくくなる」に決まっているからです。

「自分らしく生きろ」という、一見すると子どもたちを勇気づけるように聞こえるメッセージは、実はその本音のところでは、「はやく『自分らしさ』というタコツボを見つけて、そこに入って、二度と出て来るな」と言っているのじゃないでしょうか。

だって、そうじゃないですか。自分らしさを見出すことにそれほど価値があるのだとしたら、「これが『自分らしい生き方』です」と宣言した後に、「あ、やっぱりあれはなしにしてください。違う生き方がしたくなっちゃいました」と言い出すことにはかなりの心理的抵抗があるはずだからです。

一度生き方を決めたら、自分の「ポジション」を決めたら、あとは一生そこから出てはならないという有形無形の圧力を「自分らしく」という呪符が生み出している……ということはないんでしょうか？

先日僕のところにメールを送ってくれた高校の先生がいました。その先生が僕に訊ねてきたのは、生徒たちが「自分が本当にやりたいこと」をはやく見つけることが学習指導のひとつの柱になっているけれど、それは正しいのでしょうか、ということでした。「はやく自分が本当にやりたいことを見つけなさい」と言うと、生徒たちはあきらかにストレスを感じているように見える。はたして時間を区切って、いついつまでに「本当にやりたいこと」を具申するようにというようなことを高校生に強制することに教育的な意味はあるのでしょうか、と。

これは本質的な問いだと思いました。

「自分らしさ」とか「個性」とか「本当にやりたいこと」とかいう言葉で装飾されていても、子どもたちは直感的にそれが「罠にはめられて」「息ができなくなって」「身動きできなくなる」状態へ誘導するものだということを感じている。

でも、「自分らしく生きなさい」という言葉に正面から反論するだけの理論武装は子どもたちにはありません。「『自分らしく生きろ』と言われていると、なんだかだんだん気分が滅入ってくるんですけれど、それはどういうわけでしょうか?」と力なく反論しても、たぶん先生も親も、誰も納得のゆく説明はしてくれないでしょう。

どうしてこんなことになってしまったのか。

それは今の日本社会が、「成熟する」ということが「複雑化」することだということを認めていないからだと思います。逆に、成熟することとは「定型に収まって、それ以上変化しなくなること」だと思って、そう教えている。

でも、そんなわけがないじゃないですか。

生物を見てごらんなさい。単細胞の生物が細胞分裂して、どんどん複雑なものに変わってゆく。それが成長であり、進化である。人間だって同じです。成長するにつれて、どんどん複雑な生き物になるに決まっています。考え方が深まり、感情の分節がきめ細かくなり、語彙が豊かになり、判断が変わり、ふるまいが変わる。そういうものでしょう。

古代の中国の呉の国に呂蒙という武人がいました。武勇に優れ、それでみごとに立身出世を遂げたのですが、学問がなくて、「阿蒙」（おバカさん）と人に呼ばれていました。主君の孫権がそれを嘆いて、呂蒙に「武勇ばかりではなく、学問も修めよ」と説きます。呂蒙は主君の助言に素直に応えて、学問に励むようになりました。しばらくして、同じ幕僚の魯粛と対談したときに、呂蒙の見識の高さと知識の深さに魯粛は大いに驚き、「彼は以前の呉下の阿蒙にあらず」と嘆息しました。それに対して、呂蒙は「士別れて三日ならば、即ち更に刮目して相待すべし」と答えました。士は三日経つと別人になっている。だから、目を大きく見開いてその人を見よ、と。

これは『三国志』にある逸話で、僕が子どもの頃までは、人間が成長するとはどういうことかを教えるインパクトのある事例としてよく引かれたものです。でも、僕は久しくこの言葉を口にする人に会ったことがありません。

たぶん、この三十年ほどの間のどこかで「成熟する」ということの意味に変化があったのでしょう。成熟するとは変化することである、三日前とは別人になることである、という古代からの知見が棄てられて、変化しないこと、ずっと「自分らしく」あり続けることがこの社会の中に居場所を得て、社会的承認を得るための必須の条件になった。どうしてか知らないけれど。とにかく、そうやって、日本社会がずいぶんと「息苦しい」ものになった。僕にはそんな気がするのです。

アクターのふるまいが絶えず変化すると、システムの制御がむずかしくなる。だから、システムの管理コストを最小化するために、人間たちは「成熟するな」という命令を下されている。知識や技能を量的に拡大するのは構わない。生産性を上げたり、効率的に働いたりすることは構わない。でも、自分に割り振られた「分際」から踏み出すことは許さない。ましてや別人になることは絶対に許さない。人をして「刮目」せしめるような生き方をすることは許さない。

システムの効率的な管理が大切な仕事であることを僕はもちろん認めます。でも、システム管理の効率化を急ぐあまり、アクターである人間たちを同一的なままにとどめておくというのは長期的にはシステムの自殺行為ではないかという気がします。もし、国民が成熟を止め、変化を止め、どれほど時間が経過しても「刮目して相待つ」必要がなくなったら、その国ではもういかなるイノベーションも、どのようなブレークスルーも起こらないからです。

今の日本社会に瀰漫（びまん）している「生きづらさ」はこの社会の仕組みそのものが「生物の進化」

に逆行しているからだというのが僕の考えです。それを僕は「人間がサル化している」という表現に託したのです。

この本は、そのような視点から、現代日本のさまざまな出来事を論じています。

僕から皆さんへの個人的な提案は、「自分の身のほど」なんか知らなくてもいいんじゃないですかということです。「自分らしさ」なんか別にあわてて確定することはないです。三日前とぜんぜん違う人間になっても、それは順調に成長しているということですから、気にすることないです……というようなことです。みなさんが罠から這い出して、深く呼吸ができて、身動きが自由になったような気がすること、それが一番大切なことです。僕はそう思います。いかがでしょう。

# サル化する世界　目次

## Ⅲ 〝この国のかたち〟考

## Ⅳ　ＡＩ時代の教育論

## Ⅴ　人口減少社会のただ中で

特別対談　内田樹×堤未果

## 日本の資産が世界中のグローバル企業に売り渡される――人口減少社会を襲う〝ハゲタカ〟問題

装丁　大久保明子

# サル化する世界

# Ⅰ　時間と知性

## サル化する世界――ポピュリズムと民主主義について

「ポピュリズム」というのは定義のむずかしい言葉である。政治用語として頻用されているが、それは必ずしもその語の定義についての集団的合意が成立していることを意味しない。

術語の定義は、ふつう同一カテゴリーに属する他の語との差異に基づいて理解される。だから、「民主主義」の定義ははっきりしている。democracy は誰が主権者であるかによる分類法であるから、これの対義語は「王政（monarchy）」や「貴族政（aristocracy）」や「寡頭政（oligarchy）」や「無政府状態（anarchy）」などである。だから、誰かが「民主主義を廃絶せよ」と主張したとすれば、その人は代替するどれかの政体の支持者であることを明らかにしなければならない。

だが、「ポピュリズム（populism）」はそうはゆかない。というのは、ポピュリズムについては、その対義語が何であるかについての合意がまだ存在しないからである。

欧米の政治学の論文を読むと、ポピュリズムはほぼ例外なく「これまでの秩序を揺るがす不安定なファクター」という意味で使われている。だが、そのときの「これまでの秩序」が何を指示するかはその語が利用される文脈によって、ひとつひとつ違っている。だから、トランプの統治についても、ドイツの移民政策についても、イギリスの貿易政策についても、ヴァチカンの宗教政策についても、「これまでの秩序」を揺るがす動きには「ポピュリズム」というタグが付けられる。それらのすべてに一貫している定義を取り出すことは難しい。

こういうとき、一意的に定義されていない語でものごとを論ずる愚を冷笑する人がいるけれど、私はそれには与さない。「一意的に定義されていない語」が頻用される場合には、間違いなくそこには「これまでの言葉ではうまく説明できない新しい事態」が発生しているからである。そういう場合は、用語の厳密性よりも、「新しい事態」の前景化を優先してよいと私は考えている。

では、ポピュリズムという一意的な定義が定まらない語によって指称されている「新しい事態」とは何なのか？

私見によれば、ポピュリズムとは「今さえよければ、自分さえよければ、それでいい」という考え方をする人たちが主人公になった歴史的過程のことである。

個人的な定義だから「それは違う」と口を尖らす人がいるかも知れないけれど、別にみなさんにこの意味で使ってくれと言っているわけではない。

「今さえよければいい」というのは時間意識の縮減のことである。平たく言えば「サル化」のことである。「朝三暮四」のあのサルである。

春秋時代の宋にサルを飼う人がいた。朝夕四粒ずつのトチの実をサルたちに給餌していたが、手元不如意になって、コストカットを迫られた。そこでサルたちに「朝は三粒、夕に四粒ではどうか」と提案した。するとサルたちは激怒した。「では、朝は四粒、夕に三粒ではどうか」と提案するとサルたちは大喜びした。

このサルたちは、未来の自分が抱え込むことになる損失やリスクは「他人ごと」だと思っている。その点ではわが「当期利益至上主義」者に酷似している。「こんなことを続けていると、いつか大変なことになる」とわかっていながら、「大変なこと」が起きた後の未来の自分に自己同一性を感じることができない人間だけが「こんなこと」をだらだら続けることができる。その意味では、データをごまかしたり、仕様を変えたり、決算を粉飾したり、統計をごまかしたり、年金を溶かしたりしている人たちは「朝三暮四」のサルとよく似ている。

「朝三暮四」は自己同一性を未来に延長することに困難を感じる時間意識の未成熟（「今さえよければ、それでいい」）のことであるが、「自分さえよければ、他人のことはどうでもいい」というのは自己同一性の空間的な縮減のことである。

集団の成員のうちで、自分と宗教が違う、生活習慣が違う、政治的意見が違う人々を「外国人」と称して排除することに特段の心理的抵抗を感じない人がいる。「同国人」であっても、幼児や老人や病人や障害者を「生産性がない連中」と言って切り捨てることができる人がいる。彼らは、自分がかつて幼児であったことを忘れ、いずれ老人になることに気づかず、高い確率で病を得、障害を負う可能性を想定していないし、自分が何かのはずみで故郷を喪い、異邦をさすらう身になることなど想像したこともない。見知らぬ土地を、飢え、渇いて、さすらい、やむにやまれず人の家の扉を叩いたときに、顔をしかめて「外国人にやる飯はないよ」と言われたときにどんな気分になるものかを想像したことがない。

自分と立場や生活のしかたや信教が違っていても、同じ集団を形成している以上、「なかま」として遇してくれて、飢えていればご飯を与えてくれ、渇いていれば水を飲ませてくれ、寝るところがなければ宿を提供することを「当然」だと思っている人たち「ばかり」で形成されている社会で暮らしている方が、そうでない社会に暮らすよりも、「私」が生き延びられる確率は高い。嚙み砕いて言えば、それだけの話である。

「倫理」というのは別段それほどややこしいものではない。「倫」の原義は「なかま、ともがら」である。だから「倫理」とは「他者とともに生きるための理法」のことである。他者とともにあるときに、どういうルールに従えばいいのか。別に難しい話ではない。「この世の人間たちがみんな自分のような人間であると自己利益が増大するかどうか」を自らに問えばよいのである。

例えば、渋滞している高速道路で走行禁止の路肩を走るドライバーは他のドライバーたちが遵法的にじっと渋滞に耐えているときにのみ利益を得ることができる。全員がわれ先に路肩を走り出したら、彼の利益は失われる。だから、彼は「自分以外のすべての人間が遵法的であり、自分だけがそうでないこと」を、つまり、「自分のようにふるまう人間が他にいない世界」を願うようになる。

これが「非倫理的」ということである。

これはある種の「呪い」として機能する。だって「私のような人間がこの世に存在しませんように」と熱心に祈っているわけなんだから。この「呪い」は弱い酸のようにゆっくり、でも確実に彼の生命力を殺いでゆくことになる。祈りの力を侮（あなど）ってはならない。

もう一度言うが、倫理というのは別に難しいことではない。今ここにはいない未来の自分を、あるいは過去の自分を、あるいは「そうであったかもしれない自分」を、「そうなるかもしれない自分」を「自分の変容態」として、受け容れることである。そのようなすべての「自分たち」に向かって、「あなたがたは存在する。存在する権利がある。存在し続けることを私は願う」という祝福を贈ることである。

倫理的な人というのが「サル」の対義語である。

だから、ポピュリズムの対義語があるとすれば、それは「倫理」である。私はそう思う。たぶん、同意してくれる人はほとんどいないと思うけれど、私はそう思う。

自己同一性が病的に萎縮して、「今さえよければ、自分さえよければ、それでいい」と思い込む人たちが多数派を占め、政治経済や学術メディアでそういう連中が大きな顔をしている歴史的趨勢のことを私は「サル化」と呼ぶ。

「サル化」がこの先どこまで進むのかは、私にはよくわからない。けれども、サル化がさらに亢進（こうしん）すると、「朝三暮四」を通り越して、ついには「朝七暮ゼロ」まで進んでしまう。論理的にはそうなる。そのときにはサルたちはみんな夕方になると飢え死にしてしまうので、そのときにポピュリズムも終わるのである。

哀しい話だ。

「サルはいやだ、人間になりたい」という人々がまた戻ってくる日が来るのだろうか。来るとよいのだが。

（2019年5月27日）

# 時間意識と羌族の復讐

　ポートアイランドの理化学研究所というところに招かれて、自然科学の専門家たちを前にお話をしてきた。せっかくの機会なので、「人間の知性とは何か」という根源的なテーマを選んで70分ほどおしゃべりをした。聴衆のリアクションがとてもよかったので、つい暴走して、いろいろふだん言わないようなことまで口走ったので、備忘のためにここに記しておく。長い話なので、ここに掲げたのはその半分くらいである。

『ブレードランナー2049』は「人間とレプリカントを識別する指標は何か?」という問いをめぐる物語である。それは「人間の人間性を最終的に担保するものは何か?」という問いに置き換えることができる。

　人間性とは突き詰めて言えば何なのか?

　それ以外のすべての条件が人間と同じである人工物を作り得たとしても、それだけは与えることができないものがあるとしたら、それは何か?

　これは太古的な問いである。

おそらくこの問いが生まれたのは紀元前２０００年頃の中東の荒野である。この問いを得たときに一神教が発祥した。

この問いに答えることを通じて、人間は「創造主」という概念を手に入れたからである。神であっても「それだけは与えることができないもの」があるとしたら、それは何か？古代ユダヤ人はこの問いにこう答えた。「それは神を畏れる心である」

もし神がその威徳に真にふさわしいものであるなら、神の命じるままに機械的に神を敬う、腹話術師の操る人形のようなものを創造したはずはない。神は必ずや自力で神を見出し、神を敬い、神を畏れることができるほど卓越したものを創造したはずだ。ユダヤ人はそう考えた。

人間には「神を畏れる心」が標準仕様ではビルトインされていない。人間はある種の自己努力を通じて「神を畏れる」能力を獲得しなければならない。「神を畏れる能力」というのは人間がおのれの無能・無力を自覚し、それに不安を覚え、苦悩する能力のことである。人間以外の動物はそのような「無能・無力の自覚」を持たない（聞いたわけではないが、たぶんそうだと思う）。動物は自己より相対的に強いものや狡猾なものは観念できるであろうが、自己を超越した境位を概念として持つことはない。人間だけが「人間を超えるもの」を考想し、それを畏れ、崇敬することができる。おのれの有限性を通じて神の無限性を考想しうる力、それが人間の人間性をかたちづくっている。

興味深いことに『ブレードランナー』の世界でも、レプリカントたちもまたおのれの無能力と有限性についての深刻な悩みを抱えており、それを足がかりにして自己超越の方途を探求する。その点では、『ブレードランナー』のレプリカントたちは「人間の条件」を満たしているのである。

人間とはおのれの起源を知らないが、おのれの起源を知らないということを知っているもののことである。神によるこの世界の創造には立ち会っておらず、創造に遅れてこの世界に登場したものだと知っているもののことである。

古代の中東において、ユダヤ人は人間性をそう定義した。彼らはそうして「造物主による創造」という「見たことも聞いたこともない過去」を発見したのである。

主はもういない。かつては預言者や族長たちに来臨したけれど、その人たちも死に絶えた。カバラーの「チムツム」神話は、創造主はその身を縮めて、「空隙」を創り出し、それが世界となったという宇宙論である。まさに神が不在になったことによって世界は創造され、人間たちは「神」という概念を手に入れたのである。これは「メシア」概念とつくりが同じである。

メシアはつねに「未だ来たらぬもの」である。その席はつねに空席である。

ユダヤ教の過越（すぎこし）の祭りの食事儀礼では、預言者エリヤのための席が一人分空けてある。エリヤはメシアの先駆けであるので、その空席はメシアが来た日のための備えなのである。ユダヤ教徒たちは、救世主によって満たされるべき空席が今ここに存在するということを繰り返し確認することを通じて、世界を整序し、おのれの行動を律し、彼らの世界を生きるに値するものにしたのである。

われわれを存在せしめ、その生き方を教えるはずの「何ものか」が今ここにない。そのことを根拠にして現実の世界を秩序づけ、倫理を基礎づけること、それを「時間意識の獲得」と呼ぶことにする。これが一神教的な意味での「シンギュラリティ（singularity）」である。

同じような転換は紀元前10世紀ごろの古代中国でも起きた。ここでシンギュラリティは文字の発明によってもたらされた（というのはその前に安田登さんから聴いた話の請け売りであるが）。

文字の発明以前、言葉は音声として朗誦された。歴史も物語も儀礼も倫理も、すべては朗誦された。何かを知ろうとするとき、無文字社会の人たちは、口伝の教えを最初から唱えなければならなかった。身体の律動と音程に支援されて暗誦された巨大な記憶のアーカイブには「シーケンシャルなアクセス（sequential access）」しか許されなかったからである。

文字の発明はこの「最初から始めないと、目的の場所までたどり着けない」というシーケンシャル・アクセスの縛りを解除した。文字によって記憶アーカイブへのランダム・アクセス（random access）が可能になったからである。それまでは過去の記憶にたどり着くために、人々は朗誦という作業を通じて、それなりの長さの時間をリアルに生きなければいけなかった。それが一気に短縮された。文字列が記されたテクスト（それが石であっても、泥であっても、パピルスであっても、羊皮紙であっても）を見た人は、時間を一望俯瞰することができるようになった。

文字の発明は時間を可視化したのである。

そのときに「過去の現時化」が起きる。

シーケンシャル・アクセスにおいては、朗誦者がようやく現在までたどり着いたときに、過去の物語はずいぶん前に語られ終わっていて、もうその切実なリアリティを失っている。けれどランダム・アクセスにおいては、読者は過去と現在を、同じ頁の、同じ視野のうちでほぼ同時的に把持することができる。

それは、言い換えれば、過去が現時的リアリティをもって迫ってくるということである。とうに過ぎ去って、ここにはもうないものの切迫、「過去の現実性」を文字による時間の可視化はもたらした。

そう書くといいことばかりのようだけれど、そうでもない。ものごとにはよい面と悪い面がある。

この時期に、文字を知り、過去と未来の切迫を感じることができるようになった人間たち（今ならマーケティング用語で「アーリー・アダプター」と呼ばれる人たち）と文字を知らず、それゆえ直線的な時間意識を持てず、今ここにしか切実なリアリティを感じることのできない「レイト・アダプター」が混在するという事態が生じた。それが紀元前8世紀から紀元前3世紀にかけての春秋戦国時代のことである。

この時代に智者たちは「時間意識を持て」と説いた。現実には見聞きしえぬものの切迫を感じることのできる想像力を持てと説いた。

孔子が論語で説いた「仁」というのは儒教の中心概念でありながら、一意的な定義が知られていない。孔子はさまざまな文脈でさまざまな言い換えを通じて「仁」が何であるかを語ったが、それを仮にある種の固定的な「徳性」だと考えると、ひどくわかりにくい。

孔子の言う「仁」とはそういう定性的な美徳ではなく、むしろ「過去と未来にリアリティを感じることのできるひろびろとした時間意識」のことではないかというのが私の仮説である。

「子曰く、仁遠からんや、我仁を欲すれば、すなわち仁至る」(述而篇)

「仁以て己が任となす、亦(また)重からずや。死して後已(や)む、亦遠からずや」(泰伯篇)

私たちにわかるのは、仁者とは「仁が現にここに存在しない」という当の事実に基づいて、仁がかつて存在し、今後いつの日か存在しうることを確信するという、順逆の狂った信憑形式で思考する人間だということである。

「我仁を欲すれば、すなわち仁至る」とは、空間的に遠くにあるものを呼び寄せるという能動的なふるまいを指しているのではない。そうではなくて、「仁を欲するもの」が出現することによってはじめて「仁」という概念そのものが事後的に受肉するという時間的経験を述べているのである。

それは「神を畏れる」ことができる人間の出現と同時に「神」という概念が受肉する一神教の構造に通じている。

孔子は「述べて作らず」と宣言した。

私が語っている言葉は私の創見ではない。かつて賢者が語った言葉を私は祖述しているに過ぎない。孔子はそう言った。でも、実際には孔子はかなりの部分までは彼のオリジナルな知見を語っていたのだと思う。でも、自分のオリジナルな知見をあえて先人の祖述であると「偽った」。それは、孔子にとって、語られている理説の当否よりも、「私は遅れてやってきた」という言明の方が重要だったからである。彼はどうあっても「祖述者」という立ち位置をとる必要があった。その設定によって、孔子はおのれの起源を創造しようとしたのである。

孔子の仁者もユダヤ一神教における預言者も、その定義は「創造の現場に遅れてやってきた者」ということである。彼らは自らを「起源に遅れたもの」「世界の創造に遅れたもの」と規定した。「祖述者」も「預言者」もいずれも、おのれに先んじて存在した「かつて一度も現実になったことのない過去」を遡及的に基礎づけようとしたのである。何より重要なのは「私は遅れて世界に到着した」という名乗りをなすことだった。祖述者や預言者が説こうとしたのは、「遅れ」という概念だったのである。それを教えることが人類の知的進化にとって決定的に重要だということを彼らは理解していた。それが人間の人間性の本質を構築するものだと理解していた。人間は時間意識を持たねばならない。時間というものを教えなければならない。というのも、「時間」という概念は過去のある時代においては未知のものだったからである。

私たちはもう時間という概念が受肉した世界のうちに産み落とされているので、時間という概念がまだはっきりとした輪郭を持っていなかった時代の人たちの眼に世界はどんなふうに見えていたのかを思い描くためにはかなりの想像力の支援を要する。でも、時間意識の未成熟な人が実際に存在したと想定しないと、孔子が「遅れの倫理学」を説いた事情がわからなくなる。

時間意識を持たない人間は実際に存在した。それは「朝三暮四」「矛盾」「守株待兎（しゅしゅたいと）」などの一群の説話によって知られる。

これらはどれも春秋戦国時代の人を扱っている。おそらくその時期に文字を知ることが遅く（レイト・アダプターだったのである）、時間意識が未熟だった人たちがいたのである。彼らはそのせいで「今ここ以外の時間を生きているおのれ」というものにありありとしたリアリティを感じることができなかった。「今ここ以外の時間を生きているおのれ」にありありとしたリアリティを感じることのできないものには、「因果」という概念も、「確率」という概念も、「首尾一貫性」という概念も、「祖述」という概念も、もちろん「被造物」という概念もない。

そのような人を「愚」というのはいささか気の毒である。しかし、ある能力を持っていない人たちを「笑い話」のタネにして嘲笑うということが、一種の教化的な営みだったということは認めなければならない。子どもに向かって「あんなふうになったら、おしまいだぞ」と脅しつけることも教育の一つのかたちである。

春秋戦国時代には、そのような「反面教師」として、繰り返し嘲笑された人たちがいた。「朝三暮四」という説話がある。宋の狙公の話である。

狙公はサルを何匹も飼っていた。だが、懐具合がさみしくなり、餌代を節約しなければならなくなった。それまでは餌の「トチの実」を朝四つ、夕方四つ与えていた。サルたちに向かって、これからは「朝に三つ、夕方に四つにしたい」と提案するとサルたちは激怒した。「じゃあ、朝に四つ、夕方に三つならどう?」と訊いたら、サルたちは大喜びした。

狙公は何を考えてこんなことをしたのか? 彼は狡猾だったのだろうか。なんだか違うような気がする。たぶん狙公自身、「自分がサルだったら、どう思うだろうか」と想像して、「朝四つ、夕方三つの方がうれしい」と感じたのである。たぶん。

『韓非子』には「守株待兎」という話がある。童謡「まちぼうけ」のオリジナルになった説話である。

宋の国に一人の農夫がいた。彼の畑の隅の切り株に、ある日兎がぶつかって首の骨を折って死んだ。それを持ち帰って兎汁にして食べた農夫は、次の日から耕作を止めて、終日兎がやってきて首の骨を折るのを待った。兎は二度と来ず、農夫は収穫物を得られず、国中の笑いものになった。

この農夫には「確率」という概念がなかった。ある出来事がどれくらいの蓋然性で起きるのかという考え方をしなかった。今、農作をしないで、ごろごろしているのは「らくちん」である。それはリアルに感じられる。でも、未来に飢えているかもしれない自分にはリアリティを感じられない。「朝三暮四」と同じである。

「矛盾」も同じ頃の話である。ただし、登場人物は宋人ではなく楚人である。盾と矛とを売っている武器商人がいた。彼はまず盾を取り上げて、「この盾は堅牢であって、いかなる矛もこれを貫き通すことはできない」と能書きを述べた。続いて、矛を取り上げて、「この矛は鋭利であって、いかなる盾もこれを耐えることはできない」と誇った。通りかかった人が「あんたの矛で、あんたの盾を突いたらどうなるんだ」と聞いたら、商人は絶句してしまった。

私はこの話を中学の漢文の教科書で読んだ。そのときはただの「笑い話」だと思っていた。けれども、『韓非子』というのは別に笑い話を集成した本ではない。統治の原理を説いた書物である。「矛盾」の逸話は、賢者による徳治と暴君による苛政のいずれをも退けて、凡庸な統治者を法と制度で統御することの利を説く中で引かれた。どうして、こんな喩え話を引いたのか、よくわからない。「凡庸な統治者を法と制度で制御することの効用」を説くためなら、もっとよい喩え話だって探せばあったはずである。でも、韓非はついこの話を引いた。喩え話というのは、「わかりにくい理屈」を「みんなが知っている話」に置き換えて説明することである。「矛盾」は韓非の時代には「みんなが知っている話」だった。それは、そういう人間が実際に身の回りにいたからだと私は思う。

この武器商人もまた、盾を売っているときには、矛を売っているときの自分にリアリティが感じられず、矛を売っているときには、盾を売っているときの自分にリアリティを感じることができなかった人なのである。ある程度の時間持ちこたえることのできる自己同一性というものを持たなかったのである。

話は「その人応(こた)うる能(あた)はざる也」で終わる。商人は自分に向けられた問いに答えられなかった。でも、彼はやりこめられたわけでもないし、おのれの不明を恥じたわけでもない。ただぼんやりしていただけだと思う。何を言われたのか理解できなかったからである。

時間意識を持たない人間については、もう少し血なまぐさい話がある。

殷代に犬や羊や牛とともに、しばしば宗教儀礼において犠牲にされた「羌族(きょうぞく)」という集団がいた。

安田登さんによると、羌族の人々は時間意識を持っていなかったらしい。だから、狩られて、捕らえられ、檻に入れられ、引き出されて生贄(いけにえ)にされるときも、我が身に何が起きるのか想像することができなかった。それゆえ、不安も恐怖もなかった。自分たちを狩る人間たちに対する怨恨も憎悪も感じなかったし、狩られたことについての後悔も反省もなかった。かつて我が身に起きたことと今我が身に起きていることとの因果関係がわからないのなら、そんなもの、感じようがない。

その羌族はのちに周族と同盟して、殷の紂王を滅ぼした。

このとき羌族を率いて戦ったのが太公望である。つまり、この時点では、羌族は殷人に狩られる存在から殷人を狩る存在に変わっていたのである。おそらく羌族は太公望を経由して、周公から「時間意識を持つこと」を学んだのであろう。

羌族のこの劇的な変貌は同時代の人々に強い衝撃を与えたはずである。孔子が「周公の徳治」という言葉で指称していたのは、あるいはこの羌族の劇的な「進化」のことだったのではあるまいか。

そうして殷は滅びた。けれども、殷人たちは殲滅されることなく生き延び、のちに「宋」という国を建てた。宋人の時間意識の未成熟を笑うという一群の物語はあるいはかつて彼らに狩られた羌族の復讐なのかも知れない。

（2018年2月1日）

# 新元号について

新元号についていくつかのメディアから取材があって、コメントを述べた。どれも短いもので、意を尽くせなかったので、ここにロングヴァージョンを採録する。ロシア国営通信社『スプートニク』の日本語版に寄稿したものである。

最初に、元号に対する私の基本的な立場を明らかにしておく。元号を廃し、西暦に統一すべきだという論をなす人がいるけれど、私はそれには与さない。それぞれの社会集団が固有の度量衡に基づいて時間を考量する習慣を持つことは人性の自然だと思うからである。

西暦は発生的にはイエス・キリストの誕生によって世界は一変したという信仰をもつ人々が採用した「ローカルな紀年法」に過ぎない。たしかに利用者が多く、国際共通性は高いけれども、多数であることは、それ以外の紀年法を廃して、西暦を世界標準にすべきだということの十分な論拠にはならない。イスラム信者はヒジュラ暦を、タイの仏教徒は仏暦を、ユダヤ人はユダヤ暦をそれぞれ用いているが、彼らに「固有の紀年法を廃して、キリスト紀元に統一せよ」と命じることは少なくとも私にはできない。

文化的多様性を重んじる立場から、私自身は日本が固有の時間の度量衡を持っていることを端的に「よいこと」だと思っている。元号は645年の「大化」から始まって、2019年の「令和」まで連綿と続く伝統的な紀年法であり、明治からの一世一元制も発祥は明の洪武帝に遡るやはり歴史のある制度である。ひさしく受け継がれてきた文化的伝統は当代のものが目先の利便性を理由に廃すべきではない。

その上で新元号についての所見を述べる。

新元号が発表された直後からネット上では中国文学者たちから万葉集の「初春の令月、気淑しく風和らぐ」の出典が中国の古詩（後漢の張衡の『帰田賦』にある「仲春令月、時和気清」）だという指摘がなされた。岩波書店の『新日本古典文学大系　萬葉集』の当該箇所にも「令月」の典拠として張衡の詩のことが明記してある。「史上はじめての国風元号」を大々的に打ち上げた割に、「空振り」だったわけである。

2016年に天皇陛下が生前退位の意向を表明されたが、それは改元という大仕事に全国民が早めに対応できるようにという配慮も含まれていたはずである。しかし、官邸は政権のコアな支持層である日本会議などの国粋主義勢力に対する配慮から、元号発表をここまで引き延ばしてきた。「国風」へのこだわりもこの支持層へのアピールに他ならない。そういうイデオロギー的な配慮が先行して、元号制定そのものへの中立的で冷静な学術的検討がなおざりにされた結果の「空振り」とすれば、これは看過することができない。

元号の発表を統一地方選の最中にぶつけてきたことにも政治的作為を感じずにはいられない。選挙期間に、朝から晩まで特定政党の総裁と幹部がメディアに露出し続けるイベントを設定するというのは政治的公平性を考慮したらほんらい自粛すべきことであろう。良識ある政治家なら、改元がもたらす政治的影響が最も少ない時期を選んで発表を行ったはずである。だが、安倍政権はその逆のことをした。「李下に冠を正さず」どころか、狙いすまして「李の下」で冠をいじくりまわしたようなものである。著しく配慮を欠いた日程設定だったと思う。

元号は、天皇制に深くかかわる国民文化的な装置であり、すべての国民が心静かに受け入れられるように最大限の注意をもって扱うべき事案である。安易に党派的な利害に絡めたり、経済波及効果を論じたりするのは、文化的伝統に対して礼を失したふるまいと言わざるを得ない。

残念ながら、どれほど文化的多様性を称揚しようと、グローバル化する世界で国際共通性をもたない紀年法は遠からず事実上廃用されることになるだろう。この流れを止めることは難しい。わが国の一つの文化的伝統がやがて消えてゆくことを惜しむがゆえに、今回の「改元騒ぎ」がいくたりかの人々の「元号離れ」を加速したことを私は悲しむのである。

（『スプートニク日本』２０１９年４月２日）

# 民主主義の時代

ある「育児雑誌」でインタビューを受けた。そのときに思いついて日本の民主主義はとても短命なものだった（過去形なのが悲しい）という話をした。話の一部をここに記す。

終戦を境に戦前の軍国主義教育は全否定され、日本はいきなり民主国家になりました。つい昨日までの、治安維持法があり、特高や憲兵隊がいた時代に比べたら夢のように自由な社会が出現したわけです。家庭もそれに準じて、戦前までとは違う、まったく新しいものにならなければならないと人々は思った。本当にそう思ったのです。

でも、彼ら自身は親たちも教師たちも「民主主義」なんて知らない。戦前の家庭も学校も職場もどこにも民主主義なんかなかったからです。自分が経験したことがない理念を今ここで実践しなければならない。そういう歴史的急務に親たち教師たちは直面していました。そして、僕が知る限り、彼らはかなり誠実にその「責務」を果たそうとしていました。ある時期までですけれども。

結論を先取りしてしまえば、「大人たち」が日本社会は民主主義的に組織されなければならないと本気で思っていた時代は1945年から1970年くらいまでの四半世紀のことだと僕は思っています。それ以前に日本に民主主義はまだ根づいていなかったし、それ以後はゆっくり枯死していった。

ですから、今の50歳以下の人たち（1970年代以後に生まれ育った人たち）は言葉の厳密な意味での「民主主義」を経験したことがないと思います。

だから、僕の経験談を聴いたら、ずいぶん驚くんじゃないでしょうか。

内田家はきわだって民主的な家庭でした。ですから、週一回毎週水曜の夕食後に「家族会議」が開かれていました。父が議長、母が書記で、兄と僕が二人きりの議員でした。家族会議では休みの日にどこへ行くとか、犬の散歩は誰がするとかいうことを合議で決めていました（別に会議を開いて決めなくちゃいけないような事案ではなかったのですけれど、「家族会議」をやろうと言い出した父も、それくらいしか議題を思いつかなかったのでしょう）。

小学校6年生のとき、僕は児童会の議長をしていました。あるとき、生徒たちの意見が集約できず、顧問の先生を振り返って「先生、どうしたらいいでしょう?」と泣きついたことがあります。そしたら、「自分たちで決めろ。そのための児童会だろう」と一喝されたことを覚えています。そういう時代だったんです。子どもたちが苦労して民主主義を学習しているのに教師が横から邪魔をしてはいけない、と。本当にそう思っていた。

民主主義的な合意形成のためにはそれなりの技術が必要です。僕らの世代はその技術を児童会や生徒会で教え込まれた。民主的な審議とはどういうものか？　対立する議論はどうやって集約するのか？　合意形成のためには何が必要なのか？　そういうことは子どものときから経験を積まないと身につきません。

今の日本は法理的には民主主義社会ですけれど、実際には、それを適切に運用するノウハウをもう市民たちは有していない。だって、教わったことがないから。

だから、今の日本の家庭は民主的でもないし、家父長制でもない。まことに中途半端なものになっています。

戦前の家父長制下では、家長は黙ってそこにいるだけで、役割を果たすことができました。たとえ中身がすかすかでも、黙ってそこにいて、定型的に家父長的なことを言っていれば、それなりの威厳があった。

ところが、民主的な家庭ではもう家長の威信という制度的な支えがありません。父親は正味の人間的な力によって家族を取りまとめ、その敬意を集めなければならない。でも、手持ちの人間的実力だけで家族の敬意を集めることができるような父親なんか、実はほとんど存在しません。家父長制の「鎧（よろい）」を剝ぎ取られて、剝き出しになった日本の父親はあまりに幼児的で、あまりに非力だったことがわかった。

同じことは学校でも起きました。上に立って威張っていた教師たちの「正味の人間的実力」を測ったら、人の上に立つほどの実力がないということがたちまち暴露されてしまった。それが60年代末からの全国学園紛争の文明史的な意味だったと僕は思います。学生たちから「あなたたちは教壇で偉そうに説教を垂れているけれど、個人としてどれほどの人間なのか？ 平場で勝負しようじゃないか」と言われた大学教師のほとんどが、腰砕けになってしまった。象牙の塔の権威がそれでがらがらと崩れてしまった。

家庭と学校を民主化しようとした四半世紀の努力の果てに、僕たちは民主主義を徹底させてみたら、民主主義的な組織はもたないということを暴露してしまった。そうやって「戦後民主主義の申し子」であった僕たちの世代が戦後民主主義の息の根を止めてしまった。もちろん、そのときはそんな重大なことをしているという自覚はありませんでした。でも、たしかに日本の戦後民主主義を扼殺したのは、僕たちです。僕たちが要求したのは、ある種の「実力主義」であり、「成果主義」であり、制度や組織の力を借りずに、独力で欲望を実現できる一種のアナーキーでした。60年代末から70年代はじめにかけて「遠くまでゆく」とか「ひとりきりで」とかいう言葉に政治少年たちは偏愛を示しましたけれど、要するに僕たちの世代は僕たちを柔らかく保護していた「民主主義という殻」を「邪魔くせえよ」と言って引き剝がし、「荒野に手に何ものも持たずに立つ」というようなタイプの生き方を「政治的に正しい（し、審美的にもかっこいい）」と思っていたのでした。

そういう「お気楽」な発想ができたことそれ自体が戦後民主主義の賜物だということを当

時の僕たちは全然わかっていなかったのです。

とにかくそういうふうにして、民主主義の絶頂期において、その恩沢を最も豊かに享受していた世代集団によって民主主義は足蹴にされた。

ある種の「アナーキー」が登場したと上に書きましたけれど、戦後民主主義が崩れ始めて、日本社会を統合する組織原理が見失われ始めたときに、もう一度組織をバインドする新しい「統制力」が思いがけないところから登場しました。

それが日本社会全体の「株式会社化」です。

僕が生まれた50年、日本の農業従事者は人口の49％でした。だから、久しく組織運営は村落共同体をモデルに行われていました。長い時間をかけてゆっくり満場一致に至るまで議論を練り、一度決めたことには全員が従い、全員が責任を負う。

でも、戦後民主主義の進行とぴたりと並走するようにして産業構造が変わった。そして、70年代には、ほとんどの人が株式会社的な企業の一員になった。

株式会社では、ＣＥＯに全権を委ね、その経営判断が上意下達されます。経営者のアジェンダに同意する人間が重用され、反対する人間は排除される。経営判断の適否を判断するのは従業員ではなく、マーケットです。どれほど社内で合意が得られなくても、マーケットが経営判断を支持して、商品が売れ、株価が上がるなら、経営者は正しかったことになる。

「マーケットは間違えない」という市場原理主義が信仰箇条になることで自動的に民主制は

空洞化したのです。

株式会社は徹底的に非民主的な組織です。そして、気がつけばそれが社会組織の過半を占めるようになった。産業構造や企業組織に基づいて人間は「社会はどうあるべきか」を理解します。民主主義が衰微したのは、一つには僕たち戦後民主主義の受益者たちが、その大切さを全然ありがたがらなかったからであり、もう一つは農村共同体が消滅し、株式会社が社会の基本モデルに採用されたからです。

今、安倍政権下では、政権与党は野党との合意形成のためにはほとんど労力を割きません。ある程度審議時間を費やしたら、多数決で強行採決して法律を通すことが当たり前になっている。そして、多くの国民はそのプロセスに心理的抵抗を感じていない。

それはわれわれの家庭も、学校も、企業も、どこにも民主的な合意形成で運営されている組織なんか存在しないからです。民主主義を知らない人たちが国会に民主主義がないことを怪しんだり、不満に思うことはありません。

でも、成員全員の合意をとりつける努力を怠る組織は、うまく回っているときはいいけれど、いったん失敗したときに復元力がない。

政策決定において自分たちの意見が無視されたと感じたメンバーはトップの失敗を「ざまあみろ」と嘲笑するだけで、その失敗に自分たちも責任があるとは思わない。劣勢から挽回するために全力を尽くす義理があるとも思わない。経営者が経営判断に失敗したときに従業員は減俸とか解雇とかいうかたちで「ひどい目」に遭うわけですけれども、でも、経営の失敗について「バカな経営者だ」と冷笑することはあっても、申し訳なく思ったり、反省したりすることはありません。わが身の明日は心配だけれど、会社の明日のことなんか「知るかよ」で終わります。

企業ではそれでいいかも知れません。でも、国の場合はそうはゆきません。

政権が外交や内政において失敗するということは巨大な国益の喪失を意味しています。場合によっては国土を失い、国富を失う。そのような事態に接して、国民の相当数が冷笑して、「ざまあみろ」と拍手喝采するというのはあってはならない異常事態です。

国政が誤ったときこそ全国民がその失政に責任を感じ、挙国的な協力体制を形成しなければならない。そうしないと国の衰微は止まりません。戦況がいいときは、先陣争いをして勢いに乗じてがんがんいけば無計画でもなんとかなりますけれど、後退戦は全員で計画的に戦わなければならない。

そして、できるだけ多くの人がこの失政に責任を感じて、自分が後退戦の主体であると感じるためには、それに先立って、できるだけ多くの人が国策の形成に関与しているという実感を持つ必要がある。

民主主義というのは、本来そのための制度だと僕は理解しています（今ごろ理解してももう手遅れかも知れませんが）。

民主主義は国が好調であるときにはきわめて非効率的なものに見えますが、国難的危機のときには強い復元力を持ちます。でも、今の若い人たちは、民主主義というものを単なる多数決という手続きのことだと思っている。できるだけ多くの人、多様な立場を合意形成の当事者に組み込むことで集団の復元力を担保する仕組みだということを知らない。

僕はそれを民主主義の危機だと思っているのです。

（『プレジデントファミリー』２０１９年秋号）

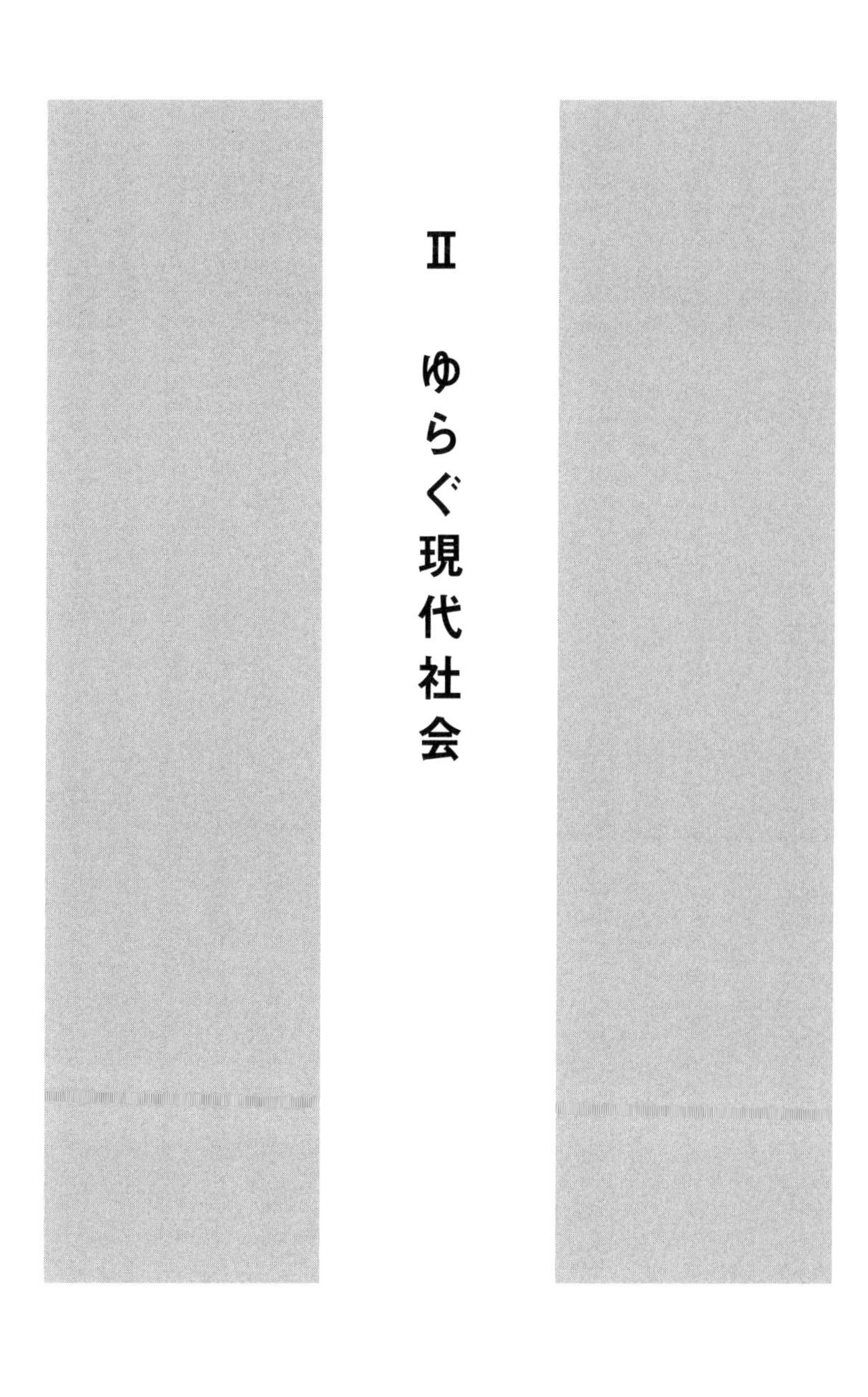

# Ⅱ　ゆらぐ現代社会

## China Scare――中国が怖い

日韓関係が「史上最悪」である一方で、かつて排外主義的なメディアの二枚看板だった「嫌中」記事が姿を消しつつあることにみなさんは気づかれただろうか。

なぜ嫌韓は亢進し、嫌中は抑制されたのか。私はそれについて説得力のある説明を聞いた覚えがない。誰も言ってくれないので、自分で考えた意見を述べる。たぶん読んで怒りだす人がたくさんいると思うが許して欲しい。

『フォーリン・アフェアーズ・リポート』はアメリカの政策決定者たちの「本音」がかなり正直に語られているので、毎月興味深く読んでいるが、ここ1年ほどはアメリカの外交専門家の中に「中国恐怖（China Scare）」が強く浸透していることが実感される。

かつて「赤恐怖（Red Scare）」といわれる現象があった。1950年代のマッカーシズムのことはよく知られているけれど、1910年代の「赤恐怖」についてはそれほど知られていない。

1917年にロシア革命が起きると、アメリカでもアナーキストたちによる武装闘争が始まった。1919年の同時多発爆弾テロでは、パーマー司法長官の自宅まで爆破された。政府はこれによって「武装蜂起は近い」という心証を形成した。

今聞くと「バカバカしい」と思えるだろうけれど、その2年前、まさかそんなところで共産主義革命が起きるはずがないと思われていたロシアでロマノフ王朝があっという間に瓦解したのである。未来は霧の中である。アメリカでだって何が起きるかわからない。

なにしろ、1870年代の「金ぴか時代」から後、アメリカは政治家も司法官も腐敗の極にあり、資本家たちの収奪ぶりもまた非人道的なものであったからだ。レーニンは1918年8月に「アメリカの労働者たちへの手紙」の中で、「立ち上がれ、武器をとれ」と獅子吼し、1919年3月には、世界30ヵ国の労働者組織の代表者たちがモスクワに結集して、コミンテルンの指導下に世界革命に邁進することを誓言していた。

十月革命時点でのロシア国内のボルシェヴィキの実数は10万人。1919年にアメリカ国内には確信的な過激派が6万人いた。そう聞けば、アメリカのブルジョワたちが「革命近し」という恐怖心に捕らえられても不思議はない。

19年に、マルクス主義者も、アナーキストも、組合活動家も、司法省が「反アメリカ的」と判定すれば、市民権をまだ取得していないものは国外追放、市民権を取得しているものはただちに収監されることになった。この仕事を遂行するために司法省内に「赤狩り」に特化したセクションが設立された。パーマーがその任を委ねたのが、若きJ・エドガー・フーヴァーである。

そのフーヴァーは革命組織が1920年5月1日に全米で一斉蜂起するという不確実な情報をパーマーに上げた。フーヴァーは、取り調べをした活動家たちが彼らの機関紙に書き散らしていた過激な言葉(「抗議ストから始まり、それを政治スト、さらには革命的大衆行動に拡大して、最終的に国家権力を奪取する」)ほどの政治的実力などないことを知りながら、パーマーに武装蜂起が切迫しているという恐怖を吹き込んだ。おそらく、それによって自分のセクションへの予算配分と政府部内でのキャリア形成をはかったのである。

フーヴァーのささやきを信じたパーマーは5月1日に、ニューヨーク、ワシントンDC、フィラデルフィア、シカゴなど全米大都市の全公共施設と要人たちの私邸に警察官を総動員して厳戒態勢を命じた。だが、何も起こらなかった。全国の新聞はパーマーの「五月革命」を嘲笑し、ウッドロー・ウィルソンの次のホワイトハウス入りを有力視されていたパーマーはこの壮大な空振りで政治生命を失ったのだが、それはまた別の話。

私が言いたいのは、アメリカ人は意外に「怖がり」だということである。

アメリカ人は久しくソ連を恐れていた。冷戦が終わった後はイスラムを恐れていた。そして、今は中国を恐れている。

もちろん中国を恐れるには十分な理由がある。

最大の理由はAI軍拡競争において中国に後れを取っているのではないかという懸念が政

府内部に広がっているからである。

中国では、党中央がある国防戦略を採択したら、命令一下全国民資源をその一点に集中できる。軍も企業も大学も党中央には逆らえない。だが、アメリカではそうはゆかない。政府が「国家的急務」とみなすプロジェクトがあったとしても、そこに民間の人材や資源を集中するためにはしかるべき手続きが要る。民主国家だから当然である。仮にGoogleやAmazonに個人情報にかかわる企業秘密を政府に差し出せと言っても、おいそれとは聞いてもらえない。グローバル企業である兵器産業が自社利益を優先して（F35のような）不良在庫を軍に売りつけようとするのも止められない。

そして、本当のことを言うと、もうミサイルも空母も戦闘機も軍略的にはそれほどの緊急性がないのである。

ＡＩが戦争概念を一変させた。

ＡＩは人間よりも大量の情報を瞬時に判定できるので、リアルタイムで複雑な戦況で最適解を出す仕事には人間より適している。ＡＩシステムは戦場でも人間より迅速かつ正確かつ組織的に移動することができる。一方、システム攪乱のためのディープフェイク技術も進化している。アメリカの兵器システムにサイバー・セキュリティ上の抜け穴が存在し、「比較的単純なツールと技術」で、これを利用できることを２０１８年にアメリカ政府監査院が指摘した。

ミサイルや空母や戦闘機のような兵器の装備がいくら充実していても、それを統御するコンピュータシステムが攪乱されたら、戦争はできない。だから、本当は戦闘機や空母を作る金があったら、サイバー・セキュリティの精度を高める方が優先するのである。ところが、アメリカではそれが遅れている。

この点では中国に明らかにアドバンテージがある。中国は独裁国家だから、ＡＩ技術の軍事転用に抵抗する勢力は国内にはいない。顔認証システムやカメラによる国民監視システムでは中国はすでに世界一である（パッケージしてシンガポールやアフリカの独裁国家に輸出しているほどである）。

遠からずアメリカはＡＩ技術における相対優位を失うだろうとアメリカの軍事の専門家たちは警告している。

むろん、フーヴァーがそうであったように、「中国恐怖」を利用しておのれの利権や予算分配を拡大しようとするアクターたちが政府部内にはいる。だから、この恐怖心はいくぶんかは戦術的に誇張されていると考えた方がいい。

だが、この恐怖心は日米同盟のチャンネルを通じて日本にはそのまま浸透してきた。「中国恐怖」にまず日本の政官財のトップが感染した。なにしろこれは米軍上層部から「ここだけの話」と耳打ちされた極秘情報である。「ここだけの話」というタグをつけた話はあっという間に広まる。「中国はアメリカにＡＩ軍拡競争で優位に立っているらしい」という話は官邸に近い、首相と飯を食うジャーナリストたちを通じてメディアの現場に伝わり、それによってたちまち対中国の論調が一変した。

それが「嫌中言説」の抑制の背景にあると私は見ている。

トランプ大統領が仕掛けた米中貿易摩擦もアメリカの科学技術の移転への恐怖に駆動されている。アメリカにとって中国はすでに「嫌いな相手」ではなくて、「怖い相手」になっているのである。その恐怖心が日本のメディアに感染して、気がついたら「嫌中言説」がかき消えていた。別に日中関係が好転したわけではない。

ここまではどなたでも納得して頂けると思う。だが、私が恐れているのはそのことではない。それよりは、中国モデルを模倣しようとしている国が世界中に生まれつつあるということの方である。中央統制を組み合わせた「チャイナ・モデル」の劇的成功を羨む人たちは民主国家よりも強権国家の方が巨視的アプローチを効果的に採択できると信じ始めている。

人間は直近の成功事例を模倣する。

日本でも、ＩＴ長者やネットの「インフルエンサー」たちが幼児的な言動をするのを批判すると、「そういうことはあれだけ稼いでから言えよ」と冷笑される。「成功者を批判するやつは嫉妬しているだけだ」という考え方がいつの間にか定着した。同じことが国際関係でも起きている。中国の統治を批判しても、「じゃあ、おまえは14億人を効果的に統治できるのかよ」と言われたら黙るしかない。「成功した人間を批判するのは嫉妬ゆえだ」というロジックを日本人はもう深く内面化している。それが中国批判についての心理的抑制として働いている。

ところが、まことに困ったことに、ここにチャイナ・モデルの劇的成功に冷水を浴びせる事例が存在する。

韓国である。

韓国では、市民たちが自力で軍事独裁を倒し、民主化を達成し、あわせて経済的成功を収め、文化的発信力を高めた。

つまり、日本の前には、強権政治による成功モデルと、民主政治による成功モデルの二つがあることになる。

嫌韓嫌中言説はこの二つの成功モデルに対して、競争劣位を味わっている日本人の「嫉妬」から生まれたものだと私は見ている。そして、「嫌中言説」が抑止され、「嫌韓言説」だけが選択的に亢進しているのは、この二つのモデルからの二者択一を迫られたときに、日本の政官財メディアの相当部分が「どちらかを選べというなら、韓国モデルより中国モデルの方がいい。民主政体より強権政体の方が望ましい」という選択を下したということを意味している。だから、嫌中言説の抑制と嫌韓言説の亢進が同時的に起きたのである。

安倍政権は、無意識的にではあるけれども、中国の強権政治に憧れに近い感情を持っている。彼が目指している「改憲」なるものは要するに単なる「非民主化」のことである。それと市場経済を組み合わせたら、中国やシンガポールのような劇的な成功が起きるのではないかと官邸周りの人々は本気で信じているのである。本気で。

そして、指導層の抱いている「日本も中国化することが望ましい」というアイディアに日本国民の多くはすでに無意識のうちに同意し始めている。「現に中国はそれで成功した」と知っているからである。そして、「成功者を批判することは誰にも許されない」という奴隷根性を日本人は深く内面化しているからである。

だから、「民主化と市場経済の組み合わせ」という韓国の事例を「成功」として認めることにあれほどヒステリックに抵抗するのである。

（2019年10月28日）

# 『週刊ポスト』問題について

『週刊ポスト』２０１９年９月13日号（小学館、９月２日発売）が「『嫌韓』ではなく『断韓』だ　厄介な隣人にサヨウナラ　韓国なんて要らない」というタイトルで韓国批判記事を掲載した。新聞に広告が載ると、直後から厳しい批判の声が上がった。

同誌にリレーコラム連載中の作家の深沢潮さんはご両親が在日韓国人だが、執筆拒否を宣言した。続いて、作家の柳美里さんも韓国籍で日本に暮らしているが、「日本で暮らす韓国・朝鮮籍の子どもたち、日本国籍を有しているが朝鮮半島にルーツを持つ人たちが、この新聞広告を目にして何を感じるか、想像してみなかったのだろうか？」と批判した。

私もお二人に続いて「今後小学館の仕事はしない」とツイッターに投稿した。その後もかなりの数の人たちが同趣旨の発言をされたようである。

それで終わるのかと思っていた。どうせ『週刊ポスト』も「炎上上等」というような気分で広告を打ってきたのであろう。「おお、話題になった。部数が伸びる」と編集部では高笑いしているのだろうと思っていた。腹の立つ話だが、所詮、「蟷螂之斧（とうろうのおの）」である。私ごとき三文文士が「小学館とは仕事をしない」と言っても、先方は痛くも痒くもない。数年前に観世のお家元と共著で能の本を出したのと、小津安二郎のＤＶＤブックにエッセイを書いたくらいしか小学館の仕事はしたことがないし、今もしていないし、雑誌に連載も持っていない。そんな男が「もう仕事をしない」と言ってみせても、ただの「負け犬の遠吠え」である。

ところが、意外にも、２日午後に『週刊ポスト』編集部から謝罪文が出された。

「多くのご意見、ご批判」を受けたことを踏まえて、一部の記事が「誤解を広めかねず、配慮に欠けて」いたことを「お詫び」し、「真摯に受け止めて参ります」とあっさり兜を脱いだのである。

　というところで取材がばたばたと続くことになった。この件について幾つかのテレビや新聞から取材を受けたが、とりあえず私が『週刊ポスト』編集部に言いたいのは「あなたがたには出版人の矜持はないのか」ということに尽くされる。

『新潮45』のときにも同じことを書いたが、あえて世間の良識に反するような攻撃的で差別的な言葉を世間に流布させるときには、出版人はそれなりの覚悟を決めるべきだ。私なら覚悟を決めて書く。書いたことが「炎上」して火の粉が飛んで来て火傷したら、それは「身から出た錆」だと思う。それが物書きとしての「筋の通し方」である。

　まさか、書いたあとに「炎上」したからと言って、「あれは書かなかったことにしてください」とは言わない。

　しかし、『新潮45』の騒ぎのときには「あまりに常識を逸脱した偏見と認識不足に満ちた表現が見受けられ」という社長名の指摘に編集部は一言の反論もしなかった。

仮にも自分の責任で公にした文章である。ならば、自分自身と彼が寄稿依頼した書き手たちの名誉を守るために、編集長は社長宛ての辞表を懐に呑んで、記者会見を開き、「新潮社の偏見と認識不足と戦う」と宣言すべきだったろう。でも、彼はそうしなかった。記者会見を開くことも、他誌に新潮社批判を書くこともなかった。

これは出版人としていくらなんでも「覚悟がない」態度と言わなければならない。

あえて好戦的で、挑発的な記事を掲載しておきながら、「炎上」範囲が想定外に広がると、たちまち泡を食って謝罪する。この「覚悟のなさ」に私は今の日本のメディア関係者たちの底知れない劣化の徴(しるし)を見るのである。


彼らが簡単に記事を撤回できる理由はある意味簡単である。それはそれが「職を賭しても言いたい」ことではなかったからである。

どうしても、誰に止められても、言わずにはいられないというくらいに切羽詰まった話であれば、ネットでつぶやかれる程度の批判に耳を傾けるはずがない。むしろ、「ほう、三文文士の分際で小学館相手に喧嘩を売るとはいい度胸だ。全力で叩き潰してやるから首を洗って待ってろ」くらいの構えで応じてよかったはずである。

でも、そうならなかった。

ということは、『週刊ポスト』の記事は「職を賭しても言いたいこと」ではなかったということである。

この事件で第一に言いたいことは、市民的常識を逆撫でして、世の良風美俗に唾を吐きかけるような言葉を発表するときには、それなりの覚悟を決めてやってくれということである。それで世間から指弾され、発言機会を失い、場合によっては職を失って路頭に迷うことを覚悟してやれということである。覚悟がないなら書くな。

これが第一に言いたいことである。第二に言いたいことは、実はもっと深刻である。それは「職を賭してまで言いたいこと」ではないにもかかわらず、そういう言葉が小学館のような老舗で、良識ある出版社の出版物で「ぺろっと」口から出てしまったということである。

世の中には「職を賭しても言いたいこと」とは別に、「職を賭してまで言いたいわけではないが、職を賭さないで済むなら言ってみたいこと」というのがある。うっかり人前で口にすると品性知性を疑われるリスクがあるので、ふだんは呑み込んでおくびにも出さないのだが、「言っても平気だよ」という保証が与えられたら、言ってみたい。そういう言葉である。

私は今の嫌韓言説は「それ」だと思っている。

韓国政府と韓国国民については、今どれほど非常識で、下品で、攻撃的なことを言っても「処罰されない」という楽観が広く日本社会に拡がっている。現に、周りをきょろきょろ見回してみたら、「ずいぶんひどいこと」を言ったり、書いたりしている人たちがいるけれど、別に処罰もされていないし、仕事も失っていないし、社会的威信に傷がついたようにも見えない。なんだ、そうか。今はやってもいいんだ……そう思った人たちが「職を賭してまで言いたいというほどのことではないが、職を賭さないで済むなら、ちょっと言ってみたいこと」をぺらぺら語り出したのである。それが現在の嫌韓言説の実相であると私は思っている。

日本人がこれほど集団的に卑劣にふるまうようになった責任はもちろん一義的には政府にある。

政権末期に政治的浮揚力を得るために隣国に喧嘩を売ってみせるというのは凡庸な為政者が歴史上繰り返しやってきたことである（李明博も政権末期に竹島に上陸するパフォーマンスで支持率を回復したことがある）。外交上の悪手でありながら、そういう挑発が繰り返されたのは、有効だということが知られていたからである。

隣国に喧嘩を売るというのは、長いスパンで考えると有害無益のふるまいだが、短期的に見ると政権支持率が一時的に回復する。だから、たとえ国益を損なっても、政治的延命を図りたい政治家がそうするのは冷徹なマキャヴェリズムの論理的帰結である。そこには一抹の論理性がないではない。

だが、その尻馬に乗ってぺらぺら語り出される嫌韓言説には、そのような論理性がない。その非論理性が私にはむしろ恐ろしいのである。

メディアが嫌韓に唱和する最大の理由は「売れる」とか「数字がとれる」ということだという説明がなされる。現に、嫌韓本や嫌韓雑誌の作り手たちに個人的に訊いてみると、ほぼ例外なく「こんな本、本当は作りたくないんです。でも、売れるからしかたないんです」という言い訳を聞かされる。

「金が欲しいので、本当はそう思っていないことを書く。金が要るので、本当は支持していない政治的主張を本にする」というのは矛盾しているようだが、実は合理的な言明である。「金がすべてに優先する」というのはひとつの原則的立場だからである。「すべては金だ」で人生を首尾一貫させているなら、それはそれで整合的な生き方だと言えるだろう。だから、彼らは「本当はイヤなんです」と言うことを通じて、「自分のふるまいには論理的整合性がある」と主張しているのである。たしかに、そういう要素もあるのかも知れない。そういうふうに「シニカル」にふるまっていると、ちょっと賢そうに見えると思っているのかも知れない。

けれども、嫌韓言説をドライブしているのは、それほど「シニカル」で計算高い思考ではない。

もっと見苦しく、薄汚い心性である。

彼らが「嫌韓」という看板を借りて口にしているのは、先ほど言った通り、「職を賭してまで言いたいというほどのことではないが、職を賭さないで済むなら、ちょっと言ってみたいこと」である。ふつうなら「非常識」で「下劣」で「見苦しい」とされるふるまいが、どうも今の言論環境では政府からもメディアからも司法からも公認されているらしい。だったら、この機会に自分にもそれを許してみよう。「処罰されない」なら……と期待して、精一杯下品で攻撃的になってみせたのである。だから、「処罰」がちらついた瞬間に、蜘蛛の子を散らすように消えたのは怪しむに足りない。「処罰されないなら公言してみたいが、処罰されるくらいなら言わないで我慢する」ということである。そうした方がいいと思う。

だが、彼らが忘れていることがある。それは、人間の本性は「処罰されない」ことが保証されている環境でどうふるまうかによって可視化されるということである。

「今ここでは何をしても誰にも咎められることがない」とわかったときに、人がどれほど利己的になるか、どれほど残酷になれるか、どれほど卑劣になれるか、私は経験的に知っている。そして、そういう局面でどうふるまったかを私は忘れない。それがその人間の「正味」の人間性だと思うからである。

平時では穏やかで、ほとんど卑屈なように見えていた人間が、「何をしても咎められない」状況に身を置いた瞬間に別人になって、人を怒鳴りつけたり、恥をかかせたりという仕事にいきなり熱心になるということを私は何度も見て来た。「そういう人間」の数はみなさんが思っているよりずっと多い。そして、彼らがどれほど「ひどい人間」に変貌するかは、平時においてはまずわからないのである。

だから、私は人間を簡単に「咎められない」環境に置かない方がいいと思っている。できるだけ、法律や常識や「世間の目」などが働いていて、簡単にはおのれの攻撃性や卑劣さを露出させることができない環境を整備する方がいいと思っている。

今の日本はそうではない。一種の倫理的な「無秩序」状態になっている。

倫理的にふるまう人（正確には「倫理的にふるまう人が一定数いないと社会は維持できない」ということを知っている人）を「かっこつけるんじゃねえよ」と冷笑することが批評的な態度だと勘違いしている人たちがすでに言論の場では過半を占めようとしている。

このような無秩序がこのまま続くのかどうか、私にはわからない。

続くなら日本にもう未来はないということしかわからない。

（2019年9月5日）

# 揺らぐ戦後国際秩序

今朝（2018年8月1日）の毎日新聞の「論点」は「揺らぐ戦後国際秩序」というタイトルで、海外の二人の論者によるドナルド・トランプの保護貿易主義批判の論を掲載していた。ひとりは国際政治学者のフランシス・フクヤマ、一人はWTO（世界貿易機関）前事務局長のパスカル・ラミー。

ふたりともトランプが戦後国際秩序の紊乱者であるという評価では一致している。

「米国は過去50年にわたって、自由主義に基づく国際秩序を作り出し、支えてきた。今、それをおびやかしている最大の脅威はトランプ米大統領だ。」（フクヤマ）

「トランプ米大統領が仕掛ける今回のような『貿易戦争』は前例がない。（…）トランプ氏はシステムを揺さぶることで事態を変えられると思い、『良い結果を得るには交渉のテーブルは2人（2国）でなければならない』と考えている。保護主義で相手を脅し、その撤回を求めてワシントンに来る人たちからどんな見返りを手にできるかを計算する。中世に見られた残酷な政治手法であり、成功しないだろう。」（ラミー）

とどちらも手厳しい。

フクヤマははっきりと「国際経済がどのように働くかを理解していないトランプ氏が仕掛けている貿易戦争の行方を予想するのは難しい」とした上で、アメリカの国益を守るためには何があってもトランプの再選を阻止しなければならないとしている。

「再選されなければ国際社会へのダメージは限られる。だが、もしトランプ政権が2期8年続いたら、米国は指導者の座から降り、国際政治の形が変わってしまう」とまで述べている。

ラミーもフクヤマもトランプがこのまま貿易戦争戦略を続けるつもりであるなら、アメリカ以外の国々は「アメリカ抜き」の国際秩序を構想しなければならないという結論では一致していた。

「国際社会にとって重要なのは、各国が協力してリベラルな国際秩序を守ることだ。米国の関税攻勢を前に日欧は連携して対応する必要がある。日本の役目は米国抜きでも環太平洋パートナーシップ協定（TPP）を維持することだ。米国以外の各国が協調し、多国間の制度や機関を支えることが重要だ。」（フクヤマ）

「もし、米国がWTOを破壊したいというなら、我々は米国抜きの新しい世界貿易のシステムの構築を考えなければならない。」（ラミー）

ふつう「論点」は両論併記的な構成なのだけれど、今回は珍しく「トランプの貿易政策はアメリカの没落を加速させる」「アメリカ人は任期終了までトランプの暴走を止めることはできない」「日欧はアメリカ抜きの国際秩序を構築して、アメリカがもたらす災厄を最小化するように努力した方がいい」という点で二人の論者が一致していた。

「アメリカがもたらす災厄を最小化するように努力した方がいい」ということをアメリカ人の政治学者が（他ならぬ『歴史の終わり』で洛陽の紙価を高めた、かのフランシス・フクヤマ先生が）言い始めたということは尋常のことではない。

船が難破して操縦不能になったり、戦線が崩壊して指揮系統が機能しなくなったときに、船長や指揮官は「Sauve qui peut（ソーヴ・キ・プ）」という宣言をなす。

Sauve qui peut は「生き延びられる者は生き延びよ」という意味である。

「もう指揮官があなたたちにどうすべきかを命じることができない局面になった。あとは自分の才覚で生き延びてくれ」という「最後の命令」のことである。

フクヤマとラミーの言葉は「Sauve qui peut」にかなり近いと私は解する。

アメリカは戦後国際秩序のありかたについてもう指導力のあるメッセージを発することができなくなった。

だから、あとは各国が自分の才覚で生き延びるしかない。

「アメリカの指導力をもう当てにするな」どころではなくて、「これからはアメリカが何か言ってきても相手にするな」そう言っているのである。

しかし、この重大なメッセージを安倍政権はきっぱり無視するだろうと私は思う。ノーコメントで押し通すはずである。

日本はこれからも引き続きトランプの貿易政策には、日本の国益に致命的な被害を与える政策についてさえ正面切った反対は自制するだろう。

そして、できるだけ低姿勢でトランプのご機嫌をとって、彼の大好きな「ディール」でいいようにあしらわれて、アメリカの兵器産業や水ビジネスや原発ビジネスに国民から集めた税金を流し続けるだろう。

そうしている限り、安倍政権の属国日本の「代官」の地位はトランプが保全してくれるからだ。

日本の国民資源をアメリカの富裕層の個人資産に付け替えることにこれだけ熱心な政権をトランプが切るはずがない。

それがわかっているから、政府はフクヤマやラミーの忠告には一切耳を傾けない。

「アメリカ抜きで……」というようなことを政権中枢の誰かが一言でも口走った瞬間に政権は終わる。

おそらく旬日を経ずして終わるだろう。

別にアメリカが「首相を替えろ」というような内政干渉をするわけではない。安倍の「跡目」を狙う自民党政治家たちとアメリカに恩を売りたい官僚たちやメディアが一斉に襲い掛かって、引きずりおろすということである。

アメリカに対してどれほど従属的であるかが日本ではドメスティックな格付けのほぼ唯一の査定基準である。

そのことを安倍首相は誰よりも知っている。

だから、トランプへの「忠誠競争」で他の自民党政治家の後塵を拝することがあってはならないと常日頃自戒しているはずである。

だが、トランプに追随してゆけばいずれ日米は共倒れになる。

それくらいのことは官邸だってわかっているはずだ。

トランプが「こける」前にアメリカの「次の大統領」に繋がりをつけることができれば、あるいは生き延びられるかも知れない。

でも、そんな長期構想に基づいてアメリカ国内に親日派の「アセッツ」を扶植し育成しているような有能な政治家は日本にはいない。少なくとも官邸まわりには一人もいない。

「ポスト・トランプ」政権がトランプに追随した日本をどう遇することになるか、誰も予測できない。

冷遇されるリスクは高い。

それなら、どれほど強欲であろうと、トランプ再選に賭けた方がましだ。

共倒れにならないためにはトランプに勝って欲しい。

たぶん官邸はそういう考えだろうと思う。

トランプ再選を支援するためには、トランプが「貿易戦争で勝利している」という印象をアメリカの有権者に刷り込むのが効果的である。

「トランプは経済大国日本を好き放題食い物にして、アメリカ国民に膨大な利益をもたらしている」というニュースはトランプ再選にきわめて有利に働くだろう。

だから、安倍政権は「アメリカが日本に貿易戦争で圧勝している」というシナリオをアメリカ向けには用意し、国内的には「日本は貿易戦争でアメリカに果敢な抵抗をしている」というシナリオを宣布するという「二正面作戦」を強いられている。

はたして、この困難なマヌーヴァーに安倍政権は成功するだろうか。

私は懐疑的である。

いずれこんなトリックは破綻するだろう。

そのときに日本はどうなっているのか。

あまり想像したくないことだが、その時点でなお国際社会において占めるべき名誉ある地位が日本に残されていると考えるのは楽観的に過ぎるであろう。

(2018年8月1日)

# 『真実の終わり』書評

『真実の終わり』（ミチコ・カクタニ著、岡崎玲子訳、集英社、２０１９年）の書評をある雑誌から頼まれた。たいへん面白い本だったので、すぐに書評を書いた。書き終えてから原稿依頼メールを見たら「８００字」とあった。

３０００字近く書いてしまっていたので、しかたがないので、短くしたものを雑誌に送った。せっかく書いたものなので、ロングヴァージョンをここに上げておくことにした。

ソーカル＝ブリクモンの『「知」の欺瞞』はフランスの哲学者たちがどうしてあれほどわかりにくく書くのかについての憤激に動機づけられたものだったけれど、『真実の終わり』はそれから20年後に何が起きたのかを教えてくれる。

どうして、世界中の政治指導者たちが同時多発に「真実」に対して冷笑的になったのかずっと不思議だった。嘘つきというのはもともと器質的なものである。病的な虚言癖の人間は一定の比率で必ず登場する。だから、「病的な嘘つきがもたらす災厄からどうやって逃れるのか」という実践的課題に、早いものは小学生のうちに直面した。そして、長く地道な訓練を通じて、子どもたちは長じてから詐欺師やデマゴーグに簡単には騙されないように市民的成熟を遂げたのである。

「真実」を軽んじる人たちがいること自体は驚くには当たらない。

驚くべきは、そのような人たちが今、世界各国で、同時多発的に、政治的指導者やオピニオンリーダーになり、多くの国民に支持されているということの方である。

これまで生き延びてきた集団の多くは「何が起きたのかについてまず集団的な合意を形成し、それに基づいて過去の政策の成否を精査し、これからの政策を起案する」という意思決定プロセスに従ってきた。それが生存戦略上有利だったからだ。

だが、今、アメリカや日本やロシアや中国でも起きていることはそうではない。「真実」に対してはシニカルで懐疑的であることが知的な構えであり、反対派との合意形成には時間を割かず、味方の頭数を集めて、数を恃んで一気にことを決するというのが「当世風」になった。

そういうスタイルが好きだという人はいつの時代にもいたから、今もいることに不思議はない。でも、それが世界を覆い尽くすまで膨張するのは「変」である。どうしてこんなことになったのか。

ミチコ・カクタニはこれをポストモダニズムの頽落態だと診断する。これは驚嘆すべき知見である。

たしかに、ポストモダニストたちは「直線的な物語としての歴史」も「普遍的で、超越的なメタな物語」も「西欧中心主義」としてまとめてゴミ箱に放り込んだ。そのようにして歴史解釈における西欧の自民族中心主義を痛烈に批判したのはポストモダニズムの偉業である。これについては高い評価を私も与えることができる。

しかし、この「自分が見ているものの真正性を懐疑せよ」というきびしい知的緊張の要請は半世紀ほどの後に暴力的な反知性主義者の群を産み出した。

彼らはこういうふうに推論したのである。
(1)人間の行うすべての認識は階級や性差や人種や宗教のバイアスがかかっている。(これはほぼ正しい)
(2)それゆえ「人間の知覚から独立して存在する客観的実在」(37頁)は存在しない。(言い過ぎだが、そう言えなくもない)
(3)従って、すべての知見は煎じ詰めれば自民族中心主義的偏見であり、そうである以上すべての世界観は等価である。(これは違う。原理的には私たちが抱く世界像はすべて臆断だが、それにしても程度の差というものがある)
(4)万人は「客観的実在」のことなど気にかけず、自分の気に入った自民族中心主義的妄想のうちに安らぐ権利がある。

こうして、ポストモダニズムが全否定した自民族中心主義がくるりと一回転して全肯定されることになった。

まさか、自らの理説がこんなトンデモ解釈を引き出すことになるとは、レヴィ＝ストロースも、ラカンも、デリダも想像だにしていなかっただろう。

だが、トランプ大統領の就任式に集まった人々の数について大統領顧問が「それとは違う事実たち」(alternative facts) という言葉を使ったときに、彼らがそういう「言い回し」を大学の文学か哲学の授業で聞き齧った可能性に思い至るべきだった。

もう一つポストモダニズムが破壊したのが言語への信頼であるとカクタニは書いている。デリダの哲学をアメリカに導入したのはポール・ド・マンとJ・ヒリス・ミラーだが、彼らはすべてのテクストは「不安定で還元不可能なまでに複雑であり、読者や観察者によってますます可変の意味が付与される」(44頁) として、テクスト解釈における「極端な相対主義」を宣布した。

「何だって、どんな意味でもあり得るのだ。作者の意図は重要ではないし、そもそも識別できない。明白な、あるいは常識的な解釈などない。なぜならすべてが無限の意味合いを持つからだ。つまり、真実というものなど存在しないのだ。」(44頁)

だが、テクストの一意的解釈を退けたポール・ド・マンは大戦中に親ナチの雑誌に反ユダヤ主義的なテクストを書いていた。その史料が発掘されたときに、マンを擁護しようとする人々は、すべてのテクストは多義的解釈に開かれており、それゆえマンはその反ユダヤ主義的言説を通じて暗に反ユダヤ主義を批判していたという解釈も可能であると弁じた。

いや、その通りである。

たしかに、あらゆるテクストは無限の解釈に開かれており、そこに単一の、首尾一貫した意図を見出そうとすることは難しい。しかし、あらゆる言明について「本当に言いたかったこと」と「人々が解釈した意味」の間には乗り越えられない深淵が広がっているということを口実にして、わが国の失言政治家たちが「誤解を招いたとすれば遺憾である（ただし、私の真意を取り違えたのは受け手の責任である）」と日々言い逃れていることを忘れてはならない。彼らは「本当は何が言いたかったのか」について、事後的に無限の修正を自分に許すことを通じて、システマティックに政治責任を免れているのである。

私たちは「真実」がひどく乱暴に扱われる時代を生きている。これは残念ながら間違いない。

どうしたら、再び「共通の現実認識」と「常識」に立ち戻ることができるのだろうか。

原理的には、手立てがないし、そもそも「共通の現実認識」や「常識」に立ち戻るべきだという言明には何の「真理」の裏付けもない。私がそう思っているというだけの話である。

それでも、「理屈ではそうかもしれんが、いくらなんでもそれは極論でしょう。非常識ですよ」というくらいのことは言わせて頂きたいと思う。そんなこと言われても先方は痛くも痒くもないと思うけど。

（2019年5月10日）

# 死刑について

２０１８年７月６日、オウム真理教の死刑囚たち７人の死刑が執行された。

解説記事を読むと、改元や五輪の日程に合わせて「このタイミングしかない」ということで執行されたと書いてあった。

死刑については、いくつものレベルの問題があり、軽々に適否を論じることはできない。「国家が人を殺す死刑という制度そのものの当否」にかかわる原理的な問いがあり、「死刑は犯罪の予防に有効なのか」という統計的な問いがあり、「被害者遺族の怒りや悲しみはどうすれば癒されるのか」という感情の問題があり、それらが入り組んでいる。

死刑の当否について、「どちらか」に与して、断定的に語る人を私はどうしても信用することができない。

死刑は人類の歴史が始まってからずっと人間に取り憑いている「難問」だからである。

世の中には、答えを出して「一件落着」するよりも、「これは答えることの難しい問いである」とアンダーラインを引いて、ペンディングにしておくことの方が人間社会にとって益することの多いことがある。同意してくれる人が少ないが、「答えを求めていつまでも居心地の悪い思いをしている」方が、「答えを得てすっきりする」よりも、知性的にも、感情的にも生産的であるような問いが存在するのである。

そういう問いは「喉に刺さった小骨」のように、刺さったままにしておく。そうしているうちに、いつのまにか「小骨」は溶けて、喉を含む身体そのものの滋養となる（ことがある）。

あらゆる制度は人間が共同的に生きることを支援するために存在する。私はそう考えている。それ以外の説明を思いつかない。

もちろん司法制度もそうである。

その制度をどう運用すれば、人間たちが共同的に生き延びてゆくために有効か。

それを思量するためには、ことの理非をためらいなく、截然（せつぜん）と決するタイプの知性よりもむしろ理非の決断に思い迷う、「計量的な知性」、「ためらう知性」が必要である。

「計量的知性」ということばを私が知ったのはアルベール・カミュの書き物からである。

どうふるまうべきか決定し難い難問を前にしたときは、そのつど、ゼロから根源的に吟味する知的な態度のことを指してカミュはこのことばを選んだ。「この種のことについては、これまでずっとこう対応してきたから、今回もそれを適用する。細部の異同については考慮しない」という原理主義的な態度に対抗するものとして、このことばを選んだのだ。

原則に揺るぎがないのは、経験的には「善いこと」である。そうでなければ日常生活は営めない。あらゆる問題について、いちいち細部の異同を言い立てて、そのつど判断を変える人とはいっしょに仕事をすることはできない。「予測」ができないからである。人間は「あの人はこれまでこういうときにはこうしてきたから、今度もこうするだろう」という他者からの「期待の地平」の中で行動するものである。そうしないと共同作業はできない。とりあえず私は社会生活上、できるだけ「期待の地平」の内側で行動するようにしている。

けれども、死刑はふだん私たちがしている「仕事」とは水準の違うことである。もっと「重たい」ことである。だから、人を死刑にすべきかどうかの判断には、人間関係のもつれやビジネス上のトラブルを解決するときのような効率や速度を求めるべきではない。

カミュにとって、死刑は久しく「死刑に処せられる側」から見た制度であった。アルジェリアの経験豊かな法廷記者であった時代、カミュは「死刑宣告を受ける側」の立場から死刑という制度を観察してきた。

『異邦人』はそのときの実体験を踏まえた「死刑小説」である（実際の事件に取材している）。人は「こんなことをしたら死刑になるかもしれない」という予測をしながらも罪を犯すことがある、なぜそんなことをするのか。裁判官は殺人者をあるときは死刑に処し、あるときは有期刑で済ませるが、その量刑の根拠は何なのか。死刑を宣告された人間はそれにどう対応すべきなのか、不当だと告発すべきなのか、「それが正義だ」と受け入れるべきなのか。

無数の問いが『異邦人』を構成している。

『異邦人』をガリマール書店から刊行したとき、カミュ自身はレジスタンスの地下活動にコミットしていた。それはゲシュタポに逮捕されれば高い確率で死刑に処せられる活動だった。法廷記者としては「捕まって死刑にされる人たち」の横から死刑を考察していたカミュは、このとき「捕まれば死刑にされる人」として、それと同時に「ドイツ兵を殺すことを本務の一部とするレジスタンスの活動家」として死刑とテロルについて考察していた。

そのとき、カミュが定式化した原則は「自分が殺されることを覚悟している人間は人を殺すことができる」というものだった。

レジスタンスのテロ活動はドイツ兵たちを殺していた。政治的理由でそれを合理化することはできる。けれども、レジスタンスの闘士たちは軍服を着てそうしていたわけではない。私服で、市民生活のかたわらにサボタージュを行い、ドイツ兵を殺していたのである。

その行動を合理化するためには、政治的理由のほかに、個人的な、倫理的な理由づけがどうしても必要だった。

それが「殺される覚悟があれば、殺すことができる」という「トレードオフの倫理」「相称性の倫理」だったのである。

いわばこういうことだ。

私は自分の命をあらかじめ公的な境位に「供託」しておく。「あなた」が私を捕らえたら、「あなた」には私の命を奪う倫理的権利がある。それを認めた上で、私はあなたを殺す倫理的権利を手元にとどめておく。

そういうロジックである。

その「相称性の倫理」をカミュはレジスタンスの活動の中で書き綴った『ドイツの一友人への手紙』を通じて基礎づけようとしていた。

その時点でカミュはいくぶんか「すっきり」していた。

しかし、「解放後」はそうはゆかなくなった。

レジスタンスの勝利のあと、今度は「対独協力者」たちの処刑が始まったからである。カミュは最初は彼らの死刑に賛成した。まさに彼らとの戦いの中で多くの仲間が殺されたのである。死者たちの無念を思えば、「私には彼らを赦す権利がない」とカミュが書くのも当然である。

しかし、対独協力派の旗頭であったロベール・ブラジャックの死刑について助命嘆願を求められたカミュは寝苦しい一夜を過ごしたあと、嘆願書に署名することになる。

その理由についてカミュが書いていることはわかりやすい話ではない。

それはおそらくカミュがその「寝苦しい一夜」の間に「死刑を待つブラジャックの側」に

立って、想像力を用いてしまったからだろうと私は思う。

かつて法廷記者として死刑囚の思いを想像したときのように、レジスタンスの活動家として自分自身の銃殺の場面を想像したときのように、このときは「殺されるブラジャック」の思いを想像してしまったのである。

ナチス占領下のパリでは、ブラジャックはカミュたちを捕らえ、殺す側にいた。「解放後」のパリではカミュには「ブラジャックに殺される」可能性はゼロである。

相称性の倫理はここでは働かない。

カミュは「私は原理的な非暴力主義者ではない」と書いている。

「ある場合には暴力は必要だし、私は必要な場合に暴力をふるうことをためらわない。」

しかし、カミュはブラジャックの助命嘆願書に署名した。

権利上ブラジャックがカミュを殺すことが「できる」なら、カミュはそれに暴力をもって立ち向かうことを辞さない。けれども、無抵抗の「罪人」を殺すことには「ためらい」がある。

カミュはその「ためらい」を最後の足がかりにして、死刑に反対したのである。

論理的な根拠があったわけではない。「そういう気分にならない」から反対したのである。

私はこのカミュの判断を「人間的」なものだと思う。

私たちは生きている限り、さまざまな非道や邪悪さに出会う。ときには信じられないほどの残酷さや無慈悲に出会う。それに相応の処罰が与えられるべきだと思うのは人性の自然である。

けれども、その非道なものたちが捕らえられ、死刑を宣告されたときには、そこに一抹の「ためらい」はあって然るべきだろうと思う。

人が正義を求めるのは、正義が行われた方が「人間社会が住み良いものになる」と信じるからである。

ことの適否の判断はつねに「それによって人間社会がより住みやすいものになるかどうか」によってなされるべきだと私は思っている。

オウム真理教の死刑囚たちは非道で邪悪な行いをした。そのことに議論の余地はない。けれども、彼らの死刑執行に私はつよい違和感を覚える。「それで、本当によかったのか」という黒々とした疑念を拭うことができない。

「制度がある限り、ルールに沿って制度は粛々と運用されるべき」だという形式的な議論に私は説得されない。それは「そもそもどうしてこの制度があるのか」という根源的な問いのために知的リソースを割く気のない人間の言い訳に過ぎないからだ。

そんな言い訳からは何一つ「よきもの」は生まれない。

世の中には効率よりも原則よりも、ずっと大切なものがある。


死刑の存否についても、今回の死刑の妥当性についても、国民的な合意はない。

けれども、国民的合意を求める努力は必要だ。

努力すれば国民的合意がいつか形成されると期待するほど私はナイーブな人間ではない。

そうではなくて、「国民的合意がなくては済まされない」という切実な願いだけが、国民国家という冷たい制度に、政治的擬制に「人間的な手触り」を吹き込むからだ。

そこでしか人間は生きられない。そこからしか人間的なものは生まれない。


（2018年7月8日）

# 品位ある社会

日本ユダヤ学会の理事をしているのだが、実務のお手伝いをほとんどできていない。だから、たまに頼まれると罪滅ぼしに何でも引き受けることにしている。これは学会誌からの書評依頼。でも、自分ではたぶん絶対に買わない本なので、やってよかった。

論じたのは次の本。

アヴィシャイ・マルガリート（森達也・鈴木将頼・金田耕一訳）『品位ある社会　〈正義の理論〉から〈尊重の物語〉へ』（風行社、2017年）

書物と出会ったときに最初に自分に問うことは「この本は私を読者に想定して書かれているか？」ということである。

判断基準の一つは「周知のように」という言葉のあとに、列挙されている人名や書名を私が知っているかどうかである。それらが私にとって未聞のものである場合、私はその本の読者として想定されていない。

その基準を本書に適用すると、私はどうやら想定読者に含まれていない。私は「正義論」というものがこれほどホットな学術的トピックだということを知らなかったからである。日本人読者の多くにとってでも事情はそれほど変わらないだろうと思う。

だから、以下に書かれていることは「書評」ではない。私には本書を俯瞰してその良否について論じるだけの知識がない。私が読者のためにできるのは、私たちが「正義論」というトピックをこれまで組織的に見落としてきた理由を考えることである。書物の価値を論じるというよりは、このような本の価値をうまく論じられずにいる私たち（と勝手に共犯者の数をふやすのもどうかと思うが）の状況はどうして生成したのかを論じてみたいと思う。

ジョン・ロールズの『正義論』は「正義にかなう社会」とはどういう原理に基づいて成り立つかについて論じたものである。

この論件は1970年代以降欧米では重要な学術的主題であった。本書もロールズの余波のうちに書かれている。

訳者によると「執筆の端緒となったのは『正義論』である。しかし、マルガリートは、ロールズが示した方向とは逆の方向に探求を進めることになる」（285頁）。

ロールズの『正義論』が出てから半世紀を閲した。「正義にかなう社会」がいかなるものであるかのモデルは学術的にはより精密なものになった（本書もそのような達成の一つである）。

だが、今私たちの目の前には、依然としてリアルな不正義と不公正が存在しており、過去半世紀で世界が「より正義にかなう」ものになったという判断に与する人は少ない。世界は相変わらず粗野で非人情で非理性的なままである。「正義論」の本場アメリカは「正義にかなう社会」の原理とモデルについての深遠な議論の半世紀の後にドナルド・トランプを大統領に選出した。理論の精密化と、それが論じられている当の社会における「正義の実現」の間に正の相関を見出すことはむずかしい。

だから、今「正義」について論じている人々にとって喫緊の問いは「正義論は正義の実現に有効なのか？」というものではないかと思う。

本書の執筆の動機にはその切実な問いがあったと私は思う。平たい言い方をすれば、「正義論」をいつまでもやっていて、本当にそれで埒（らち）があくのか？　ということになる。

それが「正義にかなう社会」に対して「品位ある社会」というアイディアを立てた理由だろうと思う。

「正義にかなう社会」と「品位ある社会」の関係を著者は「最終目的地」とそれに向かう途中で力尽きた場合の「次善の策」に比定している。たいへんわかりやすい比喩なので、そのまま再録すると、海岸で快適な休日を過ごすためにハワイに向けて飛び立った自家用飛行機のパイロットが、目的地までの燃料がないことに気がついた。そのとき「できるだけハワイに近づこうと努力することはあまり良い考えではない」。というのは、飛行機はおそらく太平洋のどこかに墜落してしまうからである。それよりは「どこか別の――そこに到着するだけの十分な燃料がある――場所に飛ぶことである」（269頁）。例えばマイア、ビーチとか。

手持ちのリソースを使って理想に一番近いことをする場合には、理想と別の場所をめざして方向転換することも「あり」だというのが著者の考え方である。だから、著者は「品位ある社会」が「正義にかなう社会」に到達するための途中経由地であるという考え方をしない。「品位ある社会を実現するための政治的戦略が、正義にかなう社会を達成することを意図した戦略と非常に異なる可能性はおおいにある」が、その場合でも、「品位ある社会は実現されるだけの価値がある理想である。（…）私は正義にかなう社会という楽観的な理想を手離さない。しかし私は、正義にかなう社会を実現する見込みよりも品位ある社会を樹立する見込みに関してより楽観的である」（270頁）。

その通りだと思う。

手持ちのリソースが有限である場合には、100％理想的な目的をめざすよりは、そのリソースで実現できそうな「現在の状況よりもいくぶんか良い状況」をめざす方がより現実的である。

著者が本書で「品位ある社会」というアイディアを展開したのは、「周知の正しいこと」

を言うためではなく、「誰も言わないが、割と正しいこと」の「割と正しい」所以を読者に理解してもらうためである。

「品位ある社会」（the decent society）とは「その制度が人びとに屈辱を与えない社会である」（13頁）と著者は定義する。キーワードは「屈辱」（humiliation）である。これは感受性の問題である。社会制度が個人とかかわるときに、人が屈辱を感じる場合とそうではない場合がある。やっていることそのものは見分け難く似ているのだが、差し出し方の「作法」が違うと、受け止め方はまったく別のものになる（ことがある）。それは経験的にたしかだ。ある制度が人にとって屈辱的であるかそうでないかを決定するのは「コンテンツ」ではなく、「マナー」だからだ。

例えば、社会福祉。社会福祉制度がうまく働かない理由の一つは、福祉を実施する側が受給資格を与えるために構造的に「屈辱的なテスト」を課す傾向があるからである。パターナリスティックな福祉社会は自尊心を失った依存的な人々を生み出すリスクをつねに抱えているが、「それは困窮者を永続的に二級市民にとどめ、事実上彼らに成人ではない人間という地位を与える社会である」（２１６頁）。受給者に屈辱を与えることをすでに制度設計のうちに含んでいる場合、そのような福祉社会は品位ある社会ではないということになる。

それでは困る。福祉の受給者に屈辱を与えないような制度を考え出さなければならない。

「問題は、援助を受ける人びとに屈辱を与えることなく、彼らの幸福にたいする真摯な気遣いによって援助を与えるという純粋な動機のみにもとづいた慈善社会を、私たちが想像できるかどうかにある」（230頁）

この書き方の節度に私は好意を持つ。著者はここで「こうすればいい」という解答を示さない。他のトピックでも同じである。刑罰について、失業について、プライヴァシーについて論じる場合でも、「こうすれば万事解決」というようなアイディアを著者は提示しない。当たり前だが、読者に代わって「品位ある社会」の制度設計をしてあげるということは、読者に対するパターナリスティックな干渉であり、それは本書のロジックに沿って言うならば「読者に屈辱を与えること」だからである。著者が提案するのは、「考え方」だけである。「品位ある社会」について、私たちがどれほど克服すべき難点を列挙できるか、どれほどのことを想像できるか、それが試されている。

たぶんこういうふうに要約しても著者は怒らないと思う。「品位ある社会」というのは「品位ある社会とはどういうものか、どのようにすれば実現できるのか」について熟慮する人々をある程度以上の比率で含む社会だということである。定義の中に定義すべき概念がすでに含まれていることを咎める人もいるかも知れないけれど、しかたがない。「品位」というのは「事物」でも「出来事」でもないからだ。「屈辱を与えない」という「何かが起きない」

事況のことである。品位は「この社会には品位がある」というかたちで実定的に実感されるものではなく、「この社会には品位がない」という欠性的な仕方で実感されるものである。私は著者のこの「大人の知恵」に賛成の一票を投じる。

（『ユダヤ・イスラエル研究』32号、２０１８年12月）

# 気まずい共存について

２０１７年５月17日に中央公会堂で開かれた「大阪のことを知ろう。市民大集会パート２　大阪問題」というイベントの基調講演で「みんなのそばにある大阪のモヤモヤ」という演題を頂いて15分間の大急ぎスピーチをした（そのあと上方舞の山村若静紀さんのイベントのゲストという仕事があったのでほんとにケツカッチン）。そのときの講演が文字起こしされてきたので、ここに採録。

結論から言うと「モヤモヤしてる」っていうのは、そんなに悪いことじゃないと思います。むしろ問題は「すっきりしている」ということの方なんじゃないですか。

今の日本の状況で一番僕が困っていることは、みんながシンプルでわかりやすい単一解を求めているということです。たった一つの「正解」があって、それを「選択」して、そこに全部の資源を「集中」するという「選択と集中」の発想をしたがる。だから、切り口上でまくし立ててくる。「この案に反対なんですか？　反対なら、対案出しなさい。対案なければ黙っていなさい」と。そういう非常にシンプルな問題の設定の仕方をしてくる。そのことがわれわれの生き方をとても息苦しいものにしていると思うんです。

民主主義というのは、例えば投票して、51対49で多数を得た方の案が採択されるというだけのことです。「多数を制した」ということと、その案が「正しい」ものだったということとは別のレベルのことです。後から振り返ってみたら少数派の方が正しかったということはしばしばあります。

だから、立法府で多数を制した場合でも、その執行者である行政府は「公人」としてふるまわなければならない。「公人」というのは多数派を代表するもののことではありません。反対者を含めて組織の全体を代表するもののことです。そのことを勘違いしている人があまりに多い。

オルテガ・イ・ガセットというスペインの哲学者がおりましたが、この人がデモクラシーとは何かということについて、非常に重要な定義を下しています。それは「敵と共生する、反対者とともに統治する」ということです。それがデモクラシーの本義であるとオルテガは書いています。これはデモクラシーについての定義のうちで、僕が一番納得のいく言葉です。

どれほど多くの支持者がいようが、どれほど巨大な政治組織を基盤にしていようが、自分を支持する人間だけしか代表しない人間は「私人」です。「権力を持った私人」ではあっても、

「公人」ではありません。

「公人」というのは自分を支持する人も、自分を支持しない人も含めて自分が属する組織の全体の利害を代表する人間のことです。それを「公人」と呼ぶ。なぜか、そのことがいつのころからか日本では忘れ去られてしまった。

野党に対して相対的に高い得票や支持率を得ているというだけのことで、与党のトップがあたかも全国民の負託を受けたかのようなことを言う。そのことに対してどこからも原理的な批判がなされない。それはおかしいと思います。本来、内閣総理大臣は一億二千万人の国民を代表する「公人」でなければならない。でも、今の日本の内閣総理大臣は自分の支持者しか代表していない。自分を支持しない人間に関しては、その声を代弁しないどころか、敵視し、積極的に弾圧し、黙らせようとさえしている。こういう人のことを僕は「公人」とは呼びません。「権力を持っている私人」としか呼びようがない。


もうだいぶ前になりますが、平松邦夫さんの大阪市長選挙の出陣式に呼ばれて、応援のスピーチをしたことがあります。短い時間で、3分くらいしかなかったんですが、そのときに平松さんに一言だけお願いしたのは、絶対相手と同じ土俵に乗らないでくださいということでした。向こうはきっと口汚く平松さんのことを批判してくると思うけど、平松さんは最後までジェントルマンとしてふるまって頂きたい、と。自分の市政を批判して立候補した人物がいる。そして、その人を支持している市民がいる。平松さんが市長に再選された場合には、橋下徹候補を支持した市民も含めて、平松さんは市民たちの意思を代表しなければならない。だから、選挙期間中でも、相手候補の言っていることがどれほどお門違いでも、取り合う価値もないと思えても、それでも平松さんとしてはそれをまずは受け止めて、「そういう言葉にもあるいは一理あるかもしれない」という態度を貫いて頂きたい。選挙期間中であっても私人には戻らないで、あくまで公人としてふるまって頂きたい、と。出陣式のスピーチでそう申し上げました。考えてみたら、出陣式に全く似つかわしくない、全然盛り上がらないスピーチでした。そのときはずいぶん不評でしたけれど、今でもその気持ちは変わりません。

今日これだけの人がお集まりになったということは、今の大阪の市政・府政に対して、また国政に関していろいろご不満がおありだからだと思います。安倍政権の下で、デモクラシーが崩れ出していることに強い不安を抱いておられるのだと思います。でも、そういう場合だからこそ、こちらは一層デモクラシーの本義を守らないといけないと思うんです。ご不満でしょうけれど。

「お前たちの政策はこうであるが、それは間違っているので、われわれは反対する。われわれが多数派を取って、お前たちを黙らせる」というのでは同じことの繰り返しになる。それでは少しも日本の政治文化が成熟してゆかない。

日本の政治文化ははげしく劣化しています。僕は今66歳ですけれども、過去、僕の記憶する限りの日本の政治史上、今が最低です。でも、この現状を口汚く罵ってみても、レベルの低い政治家たちを罵倒してみても、それでは日本の政治文化は少しも成熟しない。

では、どうすればいいのか。もう一回日本の政治文化を復興させるためには、何をすればいいのか。まったく気は進まないですけど、安倍晋三とか菅義偉とか橋下徹とか松井一郎を含めて、彼らを受け入れるということだと思うんです。（会場ざわめく）

彼らをハグする……したくないけど。「君たちがそういうふうに考えるに至り、そういう行動を取るに至った事情はわからなくはない。君たちは君たちなりに日本社会を良くしようと思っているのだと思う。君たちがとても攻撃的、排他的になっているのは、もしかするとわれわれがこれまで君たちのそういう意見や思いを汲み上げてこなかったからかも知れない。君たちの意見を代表することができなかったことについてはわれわれにも責任の一端はある。われわれは君たちも含めてこの集団を代表したいと思う」そういうふうに言わないと、この泥仕合はいつまでも終わらないと思うんです。

これから、われわれは維新的なものと戦っていくわけですけど、それを「維新を潰す、根絶する」というふうに考えると、鏡で映した裏表になってしまう。自分に反対する人間はすべて敵だ、すべて潰す、という政治的立場の人に対する根源的な批判は、「われわれは自分に反対する人間をすべて敵だとは思わない。反対者を含めて、同じ集団に属するすべての人々を代表する用意がある」と意地でも言い切るしかない。そう僕は思います。

彼らの言い分をきちんと聞き、自由な論議の場で、彼らの欲求を部分的にでも受け入れ、部分的にでも実現してゆく。そうしないと、これまでも今も維新を支持している大阪の府民・市民たちを代表することはできません。

非常につらいことだと思うんです。想像するだに鬱陶しいし、そんなことしたら、維新と突き合わせて妥協の産物として出てくる政策というのは、どっちつかずのものになって、みなさんの「モヤモヤ」はさらに嵩じることになると思うんですけれど、あの……モヤモヤくらい我慢しましょうよ。（会場ざわめく）

何よりも、日本の政治文化をもう少し、大人のものに、成熟したものにしないといけないと思うんです。自由な言論がなされ、多様なアイディアが行き交って、そこで化学反応が起きて、まったく新しいものが生まれる。そういう自由な言論の場を確保しないともうどうにもならない。そのためには、理路整然と舌鋒鋭く政敵を批判するということはもうあまりしなくてもいいんじゃないかと思うんです。そんなことをしても少しも世の中は住みやすくならないから。

寸鉄人を刺す……テレビの討論番組を見てもそうですよね。一言で相手を完膚なきまでに論破するという、その鮮やかな技術にみんなすっかり魅了されてしまった。相手の言っていることをねじまげても、言っていないことの揚げ足をとっても、虚偽のデータを上げたり、あきらかな嘘をついても、それでもテレビに映っている数分間だけ相手を言い負かしたように視聴者に見えれば、それでいい。言ったことの真偽なんか、どうでもいい。そういうことを10年、15年続けていった結果、日本の政治文化はこれほど劣化してしまった。

安倍晋三は日本の過去20年政治文化の劣化の「果実」です。彼を見て、われわれは深く反省すべきなんです。彼を生み出して、表舞台に押し上げたのはわれわれなんです。彼を支持する人がたくさんいます。それを「こいつらはネトウヨだ。民主主義というものを全くわかっていない」という言葉は喉元まで出かかっているけれど、やはりそれはぐっと飲み込んで、「君たちも、いろいろつらいんだろうね」と語りかけてあげなければいけないと思うんです。菅君だって心に思っていて、言葉にできない苦しみがあるんだろう、と。いつもメモ見て、顔を上げないのは、人の顔をまっすぐ見られないからなんだろうね。心の奥には人知れぬ悲しみがあるんだろう……と。そう思ってあげないと。

今も40%以上の人が安倍内閣を支持しています。たしかにこれは異常なことなんです。国民の基本的人権を制約して、市民的自由を抑制して、一党独裁制に持っていこうとしている政治家を支持する有権者がいる。論理的にはありえないことなんです。「あんたら、頭おかしいんじゃないの」と言うのは簡単なんです。でも「あんたら、頭おかしいよ」と言っても何も始まらない。

どうしてあの人たちは「そういうこと」を願うに至ったのか、どうして、自分の市民的自由や基本的人権が制約されることを歓迎するのか、どういう屈託なり、絶望なり、怒りなりがあって、そのような倒錯的な政治的意見を持つに至ったのか。その有権者の気持ちは理解しなければならないと僕は思います。彼らの屈託を汲み上げてゆかないと、この後の公共的な政治文化というものは創り出せないんですから。

前回の大阪市長選挙の出陣式で、「とにかく平松さんはジェントルマンでいて頂きたい」というような全然盛り上がらない応援スピーチをしたせいで選挙の結果は敗北してしまったんですけど、それでもまた同じことを今日も繰り返さないといけないと僕は思います。

今また共謀罪が国会で強行採決されようとしていますけれど、そういうふうに強行採決によってデモクラシーを蹂躙（じゅうりん）しようとする政治勢力に対してさえも、われわれは想像力を広げなければいけない。彼らの思いを受け止めなければいけないと思います。

維新や自民や公明にしても、彼らに共感し、彼らを支持している市民がいるんです。そうである以上は、彼らを含めて、自分が共感できない、理解できないものを含めた集団全体を代表しなければならない。それぞれの政治的意見をなんとか汲み上げ、それとすり合わせをしてゆかなければならない。そうやって結果的に出てくるものは、どっちつかずで、ぱっとしないものになると思うんです。でも、それでいいじゃないですか。みんなが同程度に不満足であるようなところがデモクラシーの「落としどころ」なんですから。

僕はこのところ『フォーリン・アフェアーズ・リポート』というアメリカの外交専門誌を購読しているんですけれど、それを読んでいると、アメリカの政治学者の論調がずいぶん変わったことに気がつきました。

このところのアメリカの政治学者が言い始めているのは、アメリカはもう国際社会に対する指導力は失ってしまった、ということです。アメリカはもう世界に対して指南力のあるメッセージを打ち出せなくなった。これからは、中国とかロシアとかドイツとか、国情も違うし、国益も違うし、目指している世界のありようも違う国々と、角突き合わせながら、なんとか共生してゆくしかない、そういう諦めに似たことを語り出すようになってきた。その中に「気まずい共存」という言葉がありました。

これからアメリカは世界の国々と「気まずい共存」の時代に入ってゆく覚悟が要る、と。これまでは「価値観の一致」とか「政治文化の共有」とかそういう相互理解を基盤にして外交関係を構築してきました。でも、これからは違う。われわれがこれから同盟したり、連携したりする国々は、われわれとは価値観が違う、統治形態も、統治理念も違う。でも、そういう理解も共感もできない国々と気まずいながらも共存してゆく以外にアメリカが生きる道はない。だから、その居心地の悪さに早く慣れるべきだ、と。そういうことを、何人かの政治学者が書いていて、僕は深く納得したのです。

日本でも同じです。日本の政治文化が劣化したというのは、シンプルでわかりやすい解をみんなが求めたせいなんです。正しいか間違っているか、敵か味方か、AかBか、そういうような形で選択を続けていった結果、日本の政治文化はここまで痩せ細ってしまった。それをもう一度豊かなものにするためには、苦しいけれども、理解も共感も絶した他者たちとの「気まずい共存」を受け入れ、彼らを含めて公共的な政治空間を形成してゆくしかない。

たしかに、非常に困難な課題だと思います。相手には一方的に批判され、罵られるだけなのに、こちらは想像力を駆使して相手を受け入れなければいけないんですから。非対称的な、まことに割に合わない仕事です。けれども、この割に合わない仕事を誰かが受け入れていかない限りデモクラシーの成熟はないんです。

日本の政党政治、立憲デモクラシーをもう一度蘇らせるためには、「モヤモヤすること」を受け入れるしかない。気まずいパートナーとの共同生活に耐えるしかない。それでいいじゃないですか。気まずいパートナーとでも、一緒に暮らしているうちに、ちょっとずつでも意思疎通ができて、お互いの共通する政治目標が出てくるかも知れないんですから。一つでも合意形成ができれば以て瞑(めい)すべしです。

（2017年8月16日）

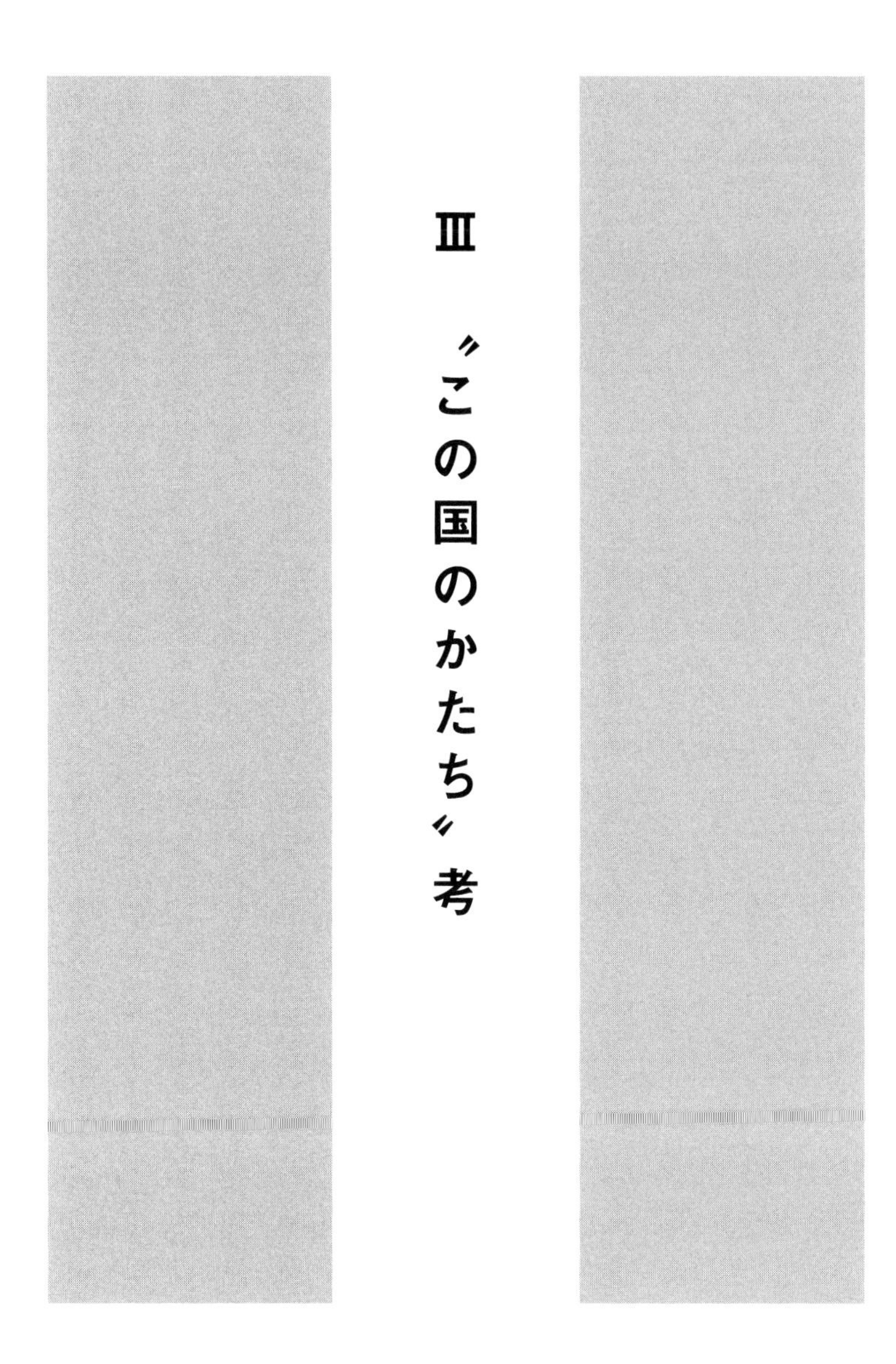

# Ⅲ 〝この国のかたち〟考

# 司馬遼太郎への手紙

司馬遼太郎さま

はじめまして、内田樹です。ご著書はずいぶんたくさん拝読しましたが、ご生前には拝顔するご縁に恵まれませんでした。でも、こうして泉下の司馬さんあてに手紙を書く機会が与えられましたので、お会いする機会があったら申し上げたかったことをここに書いてみようと思います。

ご自身としてはあるいは不本意かも知れませんが、「司馬史観」という言葉があります。明治維新から日露戦争までの40年、敗戦までの40年、戦後の40年を三つに分割して、第二期の昭和一桁から敗戦までを「のけて」、前後をつなぐという歴史観です。

「その二十年をのけて、たとえば、兼好法師や宗祇(そうぎ)が生きた時代とこんにちとは、十分に日本史的な連続性がある。また芭蕉や荻生徂徠が生きた江戸中期とこんにちとは文化意識の点でつなぐことができる」と司馬さんは書かれています(『この国のかたち』)。

司馬さんの本を読み出した頃は、「異胎の時代」を切除することによって日本歴史の連続性を回復するという司馬さんの戦略は戦後の日本人にとっては耳に心地よい物語として広く受け容れられるかも知れないと思っていました。

しかし、よく考えればわかることですが、この「異胎」「鬼胎」を生み出したのは他ならぬ日本人自身です。異胎を生み出すDNAは過去の日本人にあった以上、今もある。だから、きっかけさえあれば、また甦る。僕はそう思っています。

でも、「司馬さんの書き物からは「異胎の時代」がいずれ再生して、統帥権と参謀本部の「あの二十年」と「日本史的な連続」を遂げるのではないかという恐怖は十分には感じることができませんでした。あの時代のことは静かに封印してしまおう。醜悪で血なまぐさい記憶も時間が経てばいずれ大地に還るだろう。そういう歴史の浄化力に対する信頼が司馬さんの世代には共通していたように思えます。

私の父は司馬さんより一回りほど年長です。満州事変の年に満州に渡り、敗戦のときは北京にいました。戦後に東京で家庭を持ちましたが、大陸で何をしてきたのか、何を見聞したのか、ついに家族に語ることはありませんでした。

僕が小さい頃のことで鮮明に覚えているのは、家で友人と飲んでいる席で父が「でも、負けてよかったじゃないか」とつぶやいたときに座がしんとなったこと。満鉄の財産を旧社員に分配するという話をかつての同僚が知らせたときに「満鉄からは何も受けとりたくない」と断ったこと。1972年に日中が国交回復したあと、日中友好協会の会員となって、たくさんの留学生の世話をしたのですが、その理由として「中国人には返し切れないほどの借りがあるから」と言ったこと。そういう断片的、迂回的なしかたでしか父は「あの二十年」については語りませんでした。それは「戦中派の親を持った子どもたち」に共通の経験ではなかったかと思います。父たちは誰にも言えないし、言いたくないことを見聞きし、自分でも行った。それは誰かの共感を求められるような質のものではなかった。だから、彼らはその記憶を墓の中まで黙って持ち去り、自分と一緒に土に還すつもりでいたのだと思います。でも、戦中派の父たちのこの集団的な沈黙のせいで、「異胎の時代」に本当は何があったのかについて、僕たちはついに当事者の口からは聴く機会を逸してしまいました。

そして、戦中派の人々が鬼籍に入ると同時に、「あの二十年」は素晴らしい時代だった、日本人は誇るべき事業をアジア各地で成し遂げたのだというようなことを言い出す人が出て来ました。これは司馬さんの予想していなかった事態だと思います。

司馬さんがノモンハンやレイテ島やインパールについて、「異胎の時代」の日本人が何を考え、どうふるまったのかについて、もし物語として書き残しておいてくださったら、あるいは日本の思想状況は今とは違ったものになっていたかもしれない。そんな詮方ないことをふと考えてしまいます。

（「産経新聞」２０１６年9月20日）

# 司馬遼太郎と国民国家

日本はいつから「こんな国」になってしまったのか。

誰もがこの定型的な慨嘆句を口にする。リベラルも極右も、グローバリストもレイシストも、その政治的立場の違いにもかかわらず、「日本の劣化」という現実評価については同じ言葉づかいをする。

この吐き捨てるような現実嫌悪の言を制して、「少し前にもっとひどい時代もあったじゃないか。あれに比べたら今の方がまだずっとましだよ」と言ってくれる人は周りにもう見当たらない。司馬遼太郎がいなくなったというのは「そういうこと」なのだと思う。

司馬遼太郎は「国民作家」だった。

国民作家とは、国民国家を終の棲家と思い定めて、そこを動かぬ人のことである。国民国家は石や滝のような自然物ではない。歴史の流れの中で形成された暫定的な制度である。歴史的条件が変われば変容し、時には消失する。司馬もそのことは骨身にしみて知っていたはずである。国民国家は脆い。だからこそ人々は日々の営みを通じてそれを支えなければならない。

『坂の上の雲』は次のような一節から始まる。

「小さな。

といえば、明治初年の日本ほど小さな国はなかったであろう。産業といえば農業しかなく、人材といえば三百年の読書階級であった旧士族しかなかった。この小さな、世界の片田舎のような国が、はじめてヨーロッパ文明と血みどろの対決をしたのが、日露戦争である。

その対決に、辛うじて勝った。その勝った収穫を後世の日本人は食いちらしたことになるが、とにかくこの当時の日本人たちは精一杯の智恵と勇気と、そして幸運をすかさずつかんで操作する外交能力のかぎりをつくしてそこまで漕ぎつけた。いまからおもえば、ひやりとするほどの奇蹟といっていい。」

わずか数行のうちにちりばめられた「小さな」「辛うじて」「精一杯」「幸運」「能力のかぎり」といった徴候的な言葉を見落としてはならない。近代史をすみずみまで渉猟した司馬のもっとも率直な実感は、私たちの国が今ここにこうしてあるのは「ひやりとするほどの奇蹟」の賜だということであった。

司馬遼太郎が描いた国は小さな町内に似ている。それはたかだか暫定的な制度に過ぎない。集団のあるべき理想ではないし、他の「町内」に際立って卓越する必要もない。けれども、そこに生活しているものにとっては、そここそが命がけの現場である。天災に襲われ、建物が壊れ、田畑が流れ、死者が出れば、災禍が去った後、人々はとりあえず生き延びたことを言祝ぎ、失われたもののために涙し、暮らしの場を再建しようとするだろう。生活者というのはそういうものである。

司馬遼太郎は国民国家を「生活者がそこを離れては生きてゆけない必死の場」としてとらえた。

左翼でも右翼でも、政治思想を語る人々にとって国家はもっと「ファンタスティック」なものである。それを一過的な政治的擬制とみなそうとも、天壌無窮のものとみなそうとも、彼らにとって「生活者の必死」などは副次的な問題に過ぎない。

司馬遼太郎はそうではなかった。日本という国は、五体と同じく、私たちに与えられた生得的環境、初期条件である。私たちはそれを選び直すことができない。それを受け容れ、それを害するものを避け、益するものを求め、欠点を正し、長所を伸ばすしかない。

司馬遼太郎にとって国とはそのように「可憐なもの」だった。儚く、脆く、傷は容易には癒えず、一度滅したらもう蘇生することはない。だからこそ、心を鎮めて、ていねいに扱わなければならない。国家を政治的幻想の道具として手荒に扱う人は、自分の身体を観念や欲望の道具とする人と変わらない。だが、思い通りに動かないからと言って、自分の手足を罵倒したり、斬り落とす人がいるだろうか。国も同じだ。司馬遼太郎はそのように考えていたと思う。

私は司馬のその国家観を支持する。それもまた一つの「物語」に過ぎないことを私は否定しない。それでも私はそれを支持する。

（「産経新聞」２０１６年12月20日）

# 憲法の日に寄せて

２０１９年５月３日、１９４７年５月３日に憲法が施行されてから、72年になる。

今年は先日読み終えて、たいへんに衝撃を受けた加藤典洋さんの『９条入門』（創元社、２０１９年）の所論の一部を紹介して、私見をいささか付け加えたい。（以下敬称略にします。すみません、加藤さん）

先日の神戸新聞のインタビューでも、「憲法１条と９条はワンセット」という加藤の知見に基づいて天皇制について話したのだけれど、その部分はカットされてしまったので、それも含めて。

天皇制の存続は戦争末期においてアメリカではほとんど論外の事案だった。

１９４５年６月29日（終戦の６週間前）のギャラップによる世論調査では、天皇の処遇をめぐって、アメリカ市民の33％が処刑、37％が「裁判にかける・終身刑・追放」に賛成で、「不問に付す・傀儡として利用する」と回答したものは７％に過ぎなかった。

そのような世論の中でＧＨＱによる日本占領は始まった。

法理的には、日本国憲法を制定する権限はＧＨＱではなく、それより上位にある極東諮問委員会（のちの極東委員会）に属した。

委員国は英・米・仏・ソ・中華民国・オランダ・オーストラリア・ニュージーランド・カナダ・フィリピン・インドの11ヵ国。極東国際軍事裁判（東京裁判）の判事の選任についてもこの11ヵ国が権利を持っていた。

メンバーの中では、ソ連、オーストラリア、ニュージーランド、フィリピンが天皇制の存続につよい警戒心を示していた。

ということは、極東委員会主導で日本国憲法が制定された場合には天皇制の廃絶が明文化され、東京裁判が開かれた場合には天皇が被告席に立たされる可能性があったということである。

ドイツやイタリアでは、憲法がゆっくり時間をかけて検討され、起草されたが、日本では極東委員会もアメリカ国務省も知らないうちに（憲法制定権限をもつ極東委員会が発足する寸前に）１９４６年3月6日に天皇制の存続と戦争放棄という驚嘆すべき条項をもつ「日本政府案」（起草したのはＧＨＱ、日本政府に開示されたのは2月13日）が発表された。

極東委員会のメンバーが日本視察を終えて2月1日に横浜を離れると同時に草案の検討が始まり、彼らが太平洋を横断して、サンフランシスコに到着した2月13日までには憲法はほぼ書き上げられていた。そして、「もう誰にも手出しできない状況」（72頁）が生まれていた。

ＧＨＱには憲法制定権はないから、建前上これは「日本国民の自由に表明せる意思に従い」起草されたものである。

それにしても、なぜマッカーサーは憲法起草をこれほど急いだのか？　極東委員会や国務省の裏をかくような真似をしたのか？

加藤典洋によると理由はきわめて実利的なものである。

天皇制を利用すると占領コストが劇的に軽減することが確かだったから。

天皇制を廃したり、天皇の戦争責任を裁判で追及した場合には、絶望した一部の日本軍兵士が占領軍に敵対し、多数の米軍兵士の長期駐留が必要になる可能性があった。

マッカーサーの知恵袋だったフェラーズ准将は知日派の情報将校だったが、つよく天皇の免罪を求めた覚書をマッカーサーに提出している。

「無血侵攻をはたすに際して、われわれは天皇の尽力を要求した。その命令によって７００万の兵士の武装解除が可能になった。したがって、その彼を戦争犯罪のかどで裁けば、日本国民の目には、背信に等しいものと映るであろう。統治機構は崩壊し、たとえ武装解除されているにせよ、全国的反乱は避けられない。何万人もの民事行政官とともに大規模な派遣軍が必要となり、占領期間は延長されざるをえないであろう」（83頁）

マッカーサーはそのような事態を全く望んでいなかった。

彼には短期間のうちに日本軍国主義の一掃と、社会の民主化をなしとげ、米軍兵士たちを無傷で帰郷させ、日本占領に奇跡的成功を収めた「卓越した行政官」という声望を求める個人的理由があった。

彼は１９４８年の大統領選挙で共和党の大統領候補に指名されることを狙っていたからである。

そのためにはどうしても「昭和天皇の免罪と助命をかちえて、その信頼を獲得し、その力を利用して占領統治を成功させる」（73頁）必要があった。

マッカーサーにはタイムリミットがあった。

48年には彼は68歳になる。現役大統領のトルーマンは4歳年下、48年にトルーマンが後継指名し、52年に共和党の大統領候補指名を得たドワイト・アイゼンハウアーはかつてマッカーサーの副官だった軍人で、10歳年下である。

現役軍人は大統領になれない。

48年の大統領選の準備のためには本国に帰国しなければならない（マッカーサーは太平洋戦争の前からほとんど帰国したことがなかった）。華々しい凱旋帰国のためには早期の占領成功が必須だった。

そのために、１９４７年からマッカーサーはアメリカ国内向けに繰り返し「日本の占領統治は非常にうまく行っている」「日本が軍事国家になる心配はない」という声明を出し、本国へ対して「日本の占領をすみやかに終わらせることを望む」メッセージを送り続けた。

しかし、「大勝」という大方の予想を裏切って、48年4月のウィスコンシン州での予備選挙でマッカーサーは惨敗を喫し、いきなり指名レースから脱落してしまう。

それはまだ先の話で、1946年2月時点でのマッカーサーは天皇制を梃子に国内秩序を完全にコントロールすることと、アメリカ国内向けには「天皇制があっても、日本の軍国主義は決して復活しない」と保証することという二つの要請に同時的に応えるというアクロバシーを演じる必要があった。

そのためには、極東委員会が憲法制定権を行使して、ゆっくり時間をかけて憲法草案（これは天皇制を廃絶するものである可能性があった）を検討する作業を始める前に、すべてを片付けねばならない。

そのときにマッカーサーに「天啓」のように訪れたのが「戦争放棄」というアイディアであった。

天皇を免罪するけれども、天皇の存在が世界の平和を脅かすリスクになる可能性はゼロである。なぜなら、日本は戦争を放棄するからである。

天皇の免罪という「非常識」な政策を正当化するためには、それに釣り合うほどに「非常識」な政策によって、均衡をとる必要があった。

「それは、現人神（あらひとがみ）である天皇から大権を剝奪する、そして戦争犯罪人である天皇から大罪を免じる、という国内社会と国際社会の双方で、二様に『神をも恐れぬ』行動に出ることと釣り合い、相殺しあう、もう一つの『神をも恐れぬ』、『極端な』条項でなければならない」(104頁)

天皇制の存続につよい懐疑のまなざしを向ける極東委員会の国々(ソ連は天皇制そのものの廃絶を求め、オーストラリア、ニュージーランド、フィリピンは天皇制による軍国主義の復活を恐れ、中華民国は天皇が裁判で訴追されないことに不服を申し立てていた)に「天皇制は残す」という決定を呑み込ませるためには、「極端な戦争放棄条項」、すなわち個別的自衛権すら放棄するという条項を憲法に書き入れるしか手立てがなかったのである。

ここまでの加藤の行論には反論の余地がないと思う。

憲法9条2項は憲法1条と「バーター」で制定されたという加藤の論には説得力がある。

特に私が興味を持ったのは、この「極端な戦争放棄」に当時の政治家や憲法学者たちが熱狂したという点である(その多くは後になって「9条2項は個別的自衛権を放棄したものではない」と掌を返したように解釈を覆したが)。

加藤はこれを日本人が病んだ「道義心の『空白』」(192頁)によって説明する。

敗戦によって日本がそれまで道義的価値の源泉として見上げてきた(少なくとも制度的にはそう強制されてきた)天皇がその地位を失った。

天皇制は戦争責任を免れるかたちで存命することになった。

それを喜んだ日本人もたくさんいただろう。けれども、天皇がもはや国家の道義的な中心ではなくなったという事実に日本人は深い空虚感を感じたはずである。

いったいこれから先、日本人は何を道義とし、モラルとして生きていったらよいのか？ その「藁をもつかむ」状態にあった日本人に提示されたのが、戦力を持たず、交戦権を否定し、全面的な戦争放棄を実行して世界に類のない平和国家をめざすのだという憲法9条の「物語」である。

「世界に類のない」というところが肝心なのである。

世界に冠絶する大日本帝国が瓦解した後に、それでも日本人はなんらかのかたちで「世界に類をみない国」でありたいと切望した。

加藤はこのときに日本人を巻き込んだ熱狂についてこう書いている。

「自分たちの空っぽの道義の『空白』には、いま、そのようなものこそが、必要なのだ、自分たちはそれをこそ求めていたのだ、と考え、その条項を全面的な賛同の気持ちで受けいれることにした。このとき起こったことが、そうした側面をもっていたとしたら、それは、戦争放棄の『光輝』によって行う、天皇の民主化の『空白』の〝埋め合わせ〟代償作用）だったのだろうと私は思うのです。」（195頁）

ここまでの論を見ただけで、なぜ先帝が「鎮魂と慰藉」という「象徴的行為」を「象徴天皇」の本務であるとして、あれほど強調されてきたのか、その理路が逆方向からわかってくる。

天皇陛下の象徴的行為による国民の道義性の「底上げ」の努力は、改憲の運動が進み、憲法九条の「道義性」が減殺されてゆくプロセスとほぼ並行している。

かつては「憲法1条の没道義性」を「憲法9条の道義性」が補償していた。

今は「憲法9条の道義性の空洞化」を「憲法1条の道義性の充実」が補填しているのである。

日本国が国際社会に示し得る「道義性の総量」は昔も今も変わらない。

変わったのは「何がわが国の国民的道義性を担っているのか」である。

という話を神戸新聞にしたのだけれど、変な話過ぎて、記事にはならなかったので、ここに採録するのである。

(2019年5月3日)

# 憲法と自衛隊

元陸将の渡邊隆さんと憲法と自衛隊をめぐって対談した（ＭＣはかもがわ出版の松竹伸幸さん）。

渡邊さんは最初のカンボジアＰＫＯの大隊長だった方である。はなばなしい累進を遂げて東北方面総監をして退職されたエリート自衛官である。

自衛官というのは徹底的に「現場の人」であって、机上の空論には興味を示さないし、「正解」にも興味を示さない。彼らは今ここにある具体的なトラブルにどう対処し、どうやって被害を最小化するかということに優先的に知的資源を投じる。

だから、「論争的な自衛官」というのは、基本的にいないはずなのである（時々いるけれど、あれはかなり例外的な存在だと思う）。だって、「争い」をどうさばくかを本務とするテクノクラートが自分で問題を起こしたり、問題に火を注ぐということは定義上ありえないからである。

渡邊さんは案の定まったく論争的なタイプの人ではなかった。

言うべきことは言うけれど、決してそれが論争的なマターにならないように最大限の注意を払っている。みごとに紳士的なマナーだと思った。

対談とはいえ、せっかくの機会なので、専門家にあれこれと訊いてみたいことを訊いてみた。

自分から投げたトピックは一つだけ。

それは「憲法9条の規定と現実の自衛隊の存在の間に齟齬(そご)があるということが改憲運動の第一の理由としてあげられているが、憲法の規定と現実の間に齟齬があることなんて、当たり前のことなので、うるさく論じるには当たらない」というちゃぶ台返しのような話である。

渡邊さんへの名刺代わりに、「憲法と自衛隊に齟齬があることに何か問題でも？」という話を振った。

改憲派の人々は憲法9条と自衛隊の存在の間に齟齬があることを耐え難いと感じているようであり、しばしば「こんな国は日本以外にない」と言い立てるけれども、それは違う。

私が知る限り憲法の規定と軍隊の存在の間にもっとも深刻な乖離(かいり)を抱え込んでいる国はアメリカ合衆国である。

アメリカ合衆国憲法はそもそも常備軍の存在を認めていないのである。

憲法第8条「連邦議会の立法権限」の第12項にはこうある。

「陸軍を召集（raise）し、これを維持（support）する権限。ただし、この目的のための歳出の承認は2年を超えてはならない」

第13項「海軍を準備（provide）し、これを保持（maintain）する権限」

陸軍は必要なときに召集されるべきものであって、常備軍であるべきではないというのは建国の父たちの揺るがぬ確信であった。

それは常備軍は必ず為政者に従い、抵抗権をふるう市民と敵対するということを経験的に知っていたからである。

私たちが忘れがちなのは、アメリカは独立戦争を戦って宗主国から独立をかちとった元植民地だということである。

アメリカの建国の正統性を保証するのは「抵抗権」であり、「革命権」なのである。だから、市民の抵抗権、革命権の行使を妨げるはずの常備軍を持たないことを憲法に定めたのである。

これと市民の武装権を規定した修正第2条はいわば「コインの裏表」の関係にある。常備軍は持たない。必要な武力はそのつど武装した市民を「民兵（militia）」として召集することで備給する。というのが建国の父たちの陸軍についての基本的なアイディアであった。

海軍については、そういう訳にはゆかない。特殊な技能育成と、長期にわたる組織的な訓練がないと帆船は動かせなかったからである。だからやむなく海軍については「準備し、保持する」ことを認めたのである。

それに海軍の場合、抵抗する市民たちは艦砲射撃の射程から外にいれば何の被害も受けないし、市民を弾圧するためには、海軍も陸に上がって陸戦を戦わなければならない。だから「海軍は常備軍でもそれほど市民にとってリスクはない」という判断が下されたのである。

軍隊についての考え方がぜんぜん違うのである。

この憲法はその後改定されないまま今に続いている。

常備軍を持たないことを規定した憲法を持ちながら、アメリカは世界最大の軍事力を誇っている。

ここには致命的な齟齬があるのだけれども、「現実と合っていないから憲法を改定しろ」というアメリカ市民はいない。

それはこの齟齬を感じるたびに、「そもそもわれわれは何を実現しようとしてこの国を建国したのか?」という起源の問いに立ち戻ることができるからである。

「アメリカというのは一つのアイディアなんだ」とアメリカの友人に言われて、深く納得したということを柴田元幸さんがどこかに書いていた。

アメリカは何のために存在する国なのか、ということをアメリカ人はひとりひとり自分に問う義務があり、権利がある。

そのときの手がかりになるのが憲法であり、独立宣言である。

そこにこめられた「アイディア」が今ここでの現実と乖離している。

それをどう調整するべきなのか、それをアメリカ人は自分に問うのである。


日本国憲法も同じである。

そこには１９４６年時点で日本を占領していたＧＨＱのニューディーラーたちの「アイディア」が込められている。

彼らは「天皇制を持っている以外はアメリカみたいな国」を制度設計した（のだと思う）。だから、９条２項の「陸海空軍その他の戦力は、これを保持しない」という条項を書いたときに、彼らの脳裏にあったのは合衆国憲法第８条第12項、13項だったというのはありそうな話である。

ポツダム宣言第６条にはこうある。

「日本国民を欺いて世界征服に乗り出す過ちを犯させた勢力を永久に除去する。無責任な軍国主義が世界から駆逐されるまでは、平和と安全と正義の新秩序も現れ得ないからである。」

憲法起草者たちは、もしかすると「軍国主義者」を「常備軍」もろともに排除したあとには「平和主義者」と「抵抗権を持つ市民」がそれに取って代わると思っていたのかも知れない。

自分の国が「正しい国」だと思っている人たちは、「自分の国で起きたこと」は他の国でもあたかも自然過程のように起きるはずだと思い込みがちである。そして間違いなく、日本を占領したアメリカ人たちは自国が「正しい国」だと信じていた。だから、彼らは軍国主義を排除したあとに「天皇制以外はアメリカみたいな国」ができるのではないかと無根拠に信じた。

権力に盲従する「常備軍」が廃絶されたあとに、自衛のために武装する市民たちがそれにとって代わるのではないか、と。

日本的な militia ができて、それがやがて準軍隊的な組織になってゆく……と。そういうようなことをＧＨＱの人々は漠然と夢想していたのではないか。

起きなかったことの多くは、過去のある時点では「もしかするとそうなるのではないか」と思われていたことである。そして、その「蓋然性の高い未来」を勘定に入れて、人々はそのときに判断し、行動していた。でも、その予測は現実化しなかった。だから、その頃の人々がどうして「あんなこと」を言ったり、してたりしていたのかが、後から見ると理解できなくなる。

私は憲法と自衛隊の齟齬は、「憲法起草時点でアメリカ人が日本の軍事について夢想していたこと」と、その後の現実の齟齬として理解すべきではないかと思う。

「常備軍のない国を守る武装した民兵」は間違いなくアメリカ人にとっての軍事の理想であ

る。そして、おそらく彼らは日本にも「アメリカ人にとっての軍事の理想」を適用できると思っていた。

民兵たちは自分たちの市民としての生命自由財産を守るために、権力者に抵抗して戦うのであって、他国との戦争に駆り出されることはない。

市民は交戦権を持たないし、そもそもそのようなものを持とうと望むこともない。

市民が求めるのは抵抗権である。

日本国憲法と現実の齟齬は、「どのような国をつくろうと願ったか」ということと「こんな国ができました」ということの間の隔たりとしてクールかつリアルに計測されるべきものだろうと思う。

その隔たりはわれわれわれに理想と現実のあいだの葛藤を絶えず主題化することを求める。それを踏まえて具体的な「次の一手」について論議し、合意を形成してゆくこと。それが「隔たりの功徳」ではなかろうか。


というような話をまず冒頭に渡邊さんに振ってみた。

渡邊さんは「合衆国憲法には常備軍の規定がない」というところで深く頷いて、合衆国憲法が「理想と現実のあいだを揺れ動くアメリカの歴史」をそのまま可視化したきわめて示唆に富んだ文書であることを指摘してくれた。そして、実際にアメリカは陸軍については「できるだけ常備軍を持たない」というルールを第二次世界大戦まではなんとか守ってきていた。今のように常備軍化したのは、ここ50年のことだと渡邊さんは教えてくれた。

そこから話は地政学的な話題に展開してゆくのだけれど、私としては、憲法と現実の齟齬は「起草時点でどのような未来を望見していたか」を繰り返し遡及的に主題化するための重要な装置であるというアイディアを渡邊さんに認知してもらったので、それだけで深く満足したのである。

(2019年2月8日)

# 比較敗戦論のために

２０１９年度の寺子屋ゼミは「比較敗戦論」を通年テーマにすることにした。どうしてこのようなテーマを選ぶことになったのか。それについて姜尚中さんとのトークセッション（２０１６年）で語ったことがある。そのときの講演録を採録しておく。

## 戦後日本の「敗戦の否認」

今回の「比較敗戦論」というタイトルは、問題提起という意味でつけました。特に僕の方で用意した結論があるわけではありません。ただ、歴史を見るときに、こういう切り取り方もあるのだというアイディアをお示ししたいと思います。

「比較敗戦論」という言葉は『永続敗戦論』（太田出版、２０１３年）の白井聡さんと対談をしたときにふと思いついたのです（この対談はその後、『日本戦後史論』徳間書店、２０１５年という本にまとまりました）。

『永続敗戦論』での白井さんの重要な主張は「日本人は敗戦を否認しており、それが戦後日本のシステムの不調の原因である」というものでした。「敗戦の否認」というキーワードを使って、戦後70年の日本政治をきわめて明晰に分析した労作です。

白井さんと話をしているうちに、日本人が戦後70年間にわたって敗戦経験を否認してきたということは全くご指摘の通りなんだけれども、日本以外の敗戦国ではどうなのか、ということが気になりました。日本以外の他の敗戦国はそれぞれ適切なやり方で敗戦の「総括」を行ったのか。その中で日本だけが例外的に敗戦を否認したのだとすれば、それはなぜなのか。そういった一連の問いがありうるのではないかと思いました。

白井さんの言う通り「敗戦の否認」ゆえに戦後日本はさまざまな制度上のゆがみを抱え込み、日本人のものの考え方にも無意識的なバイアスがかかっていて、ある種の思考不能状態に陥っていること、これは紛れもない事実です。でも、それは日本人だけに起きていることなのか。他の敗戦国はどうなっているのか。他の敗戦国では、敗戦を適切に受け容れて、それによって制度上のゆがみや無意識的な思考停止を病むというようなことは起きていないのか。よく「ドイツは敗戦経験に適切に向き合ったけれど、日本はそれに失敗した」という言い方がされます。けれども、それは本当に歴史的事実を踏まえての発言なのか。

まず僕たちが誤解しやすいことですけれど、第二次世界大戦の敗戦国は日独伊だけではありません。フィンランド、ハンガリー、ルーマニア、ブルガリア、タイ、これらは連合国が敵国として認定した国です。それ以外にも、連合国がそもそも国として認定していない交戦団体として、フィリピン第二共和国、ビルマ国、スロバキア共和国、クロアチア独立国、満州国、中華民国南京政府があります。これだけの「国」が敗戦を経験した。でも、僕たちはこれらの敗戦国で、人々が敗戦経験をどう受け容れたのか、どうやって敗戦後の70年間を過ごしてきたのかについて、ほとんど何も知りません。例えば、「フィンランド国民は敗戦をどう総括したか」というような研究は、フィンランド国内にはしている人がいるのでしょうけれど、僕はそれについての日本語文献のあることを知らない。でも、「敗戦の否認」という心理的な痼疾を手がかりにして現代日本社会を分析するためには、やはり他の敗戦国民は自国の敗戦をどう受け止めたのか、否認したのか、受容したのかが知りたい。敗戦の総括をうまく実行できた国はあるのか。あるとしたら、なぜ成功したのか。敗戦を否認した国は日本の他にもあるのか。あるとしたら、その国における敗戦の否認は、今その国でどのような現実を帰結したのか、それを知りたい。「敗戦の否認」が一種の病であるとするなら、治療のためには、まず症例研究をする必要がある。僕はそんなふうに考えました。

## フランスは実は敗戦国!?

このアイディアには実はいささか前段があります。枢軸国の敗戦国というと、ふつうは日独伊と言われます。けれども、フランスだって実は敗戦国ではないのか。僕は以前からその疑いを払拭することができずにいました。

ご承知の方もいると思いますが、僕の専門はフランス現代思想です。特にエマニュエル・レヴィナスというユダヤ人哲学者を研究してきました。その関連で、近代フランスにおけるユダヤ人社会と彼らが苦しんだ反ユダヤ主義のことをかなり長期にわたって集中的に研究してきました。そして、そのつながりで、19世紀から20世紀はじめにかけてのフランスの極右思想の文献もずいぶん読み漁りました。

僕がフランスにおける反ユダヤ主義の研究を始めたのは１９８０年代のはじめ頃ですが、その頃フランスの対独協力政権、ペタン元帥の率いたヴィシー政府についての研究が続々と刊行され始めました。ですから、その頃出たヴィシーについての研究書も手に入る限り買い入れて読みました。そして、その中でも出色のものであったベルナール＝アンリ・レヴィの『フランス・イデオロギー』（国文社、１９８９年）という本を翻訳することになりました。これはフランスが実はファシズムと反ユダヤ主義というふたつの思想の「母国」であったという非常に挑発的な内容で、発売当時はフランスでは大変な物議を醸したものでした。

歴史的事実をおさらいすると、１９３９年９月にドイツのポーランド侵攻に対して、英仏両国はドイツに宣戦布告します。フランスはマジノ線を破られて、半年後の１９４０年６月に独仏休戦協定を結びます。フランスの北半分はドイツの占領下に、南半分がペタンを首班とするヴィシー政府の統治下に入ります。第三共和政の最後の国民議会が、ペタン元帥に憲法制定権を委任することを圧倒的多数で可決し、フランスは独裁制の国になりました。そして、フランス革命以来の「自由・平等・友愛」というスローガンが廃されて、「労働・家族・祖国」という新しいファシズム的スローガンを掲げた対独協力政府ができます。

フランスは連合国に対して宣戦布告こそしていませんけれども、大量の労働者をドイツ国内に送ってドイツの生産活動を支援し、兵站（へいたん）を担い、国内ではユダヤ人やレジスタンスの摘発を行いました。フランス国内で捕らえられたユダヤ人たちはフランス国内から鉄道でアウシュヴィッツへ送られました。

対独レジスタンスが始まるのは１９４２年くらいからです。地下活動という性質上、レジスタンスの内実について詳細は知られていませんが、初期の活動家は全土で数千人規模だったと言われています。連合国軍がノルマンディーに上陸して、戦局がドイツ軍劣勢となってから、堰（せき）を切ったように、多くのフランス人がドイツ軍追撃に参加して、レジスタンスは数十万規模にまで膨れあがった。このとき、ヴィシー政府の周辺にいた旧王党派の準軍事団体などもレジスタンスに流れ込んでいます。昨日まで対独協力政権の中枢近くにいた人たちが、一夜明けるとレジスタンスになっているというようなこともあった。そして、このドイツ潰走のときに、対独協力者の大量粛清が行われています。ヴィシー政権に協力したという名目で、裁判なしで殺された犠牲者は数千人と言われていますが、これについても信頼できる史料はありません。調書もないし、裁判記録もない。どういう容疑で、何をした人なのか判然としないまま、「対独協力者だ」と名指されて殺された。真実はわからない。

アルベール・カミュは最初期からのほんもののレジスタンス闘士でしたけれど、戦後その時代を回想して、「本当に戦ったレジスタンスの活動家はみな死んだ」と書いて、今生き残って「レジスタンス顔」をしている人間に対する不信を隠そうとしませんでした。このあたりの消息は外国人にはなかなかわかりません。

シャルル・ド・ゴールもその回想録の中で、ヴィシー政府壊滅後のフランス各地の混乱に言及して、「無数の場所で民衆の怒りは暴力的な反動として溢れ出した。もちろん、政治的な目論見や、職業上の競争や、個人的な復讐がこの機会を見逃すはずもなかった」と証言しています（Charles de Gaulle, *Mémoire de guerre*, Plon, 1959, p.18）。

国防次官だったシャルル・ド・ゴールはペタン元帥が休戦協定を結んだときにロンドンに亡命して亡命政府を名乗りますけれど、もちろん彼の「自由フランス」には国としての実体などありません。国際法上はあくまでヴィシー政府がフランスの正統な政府であって、自由フランスは任意団体に過ぎません。そもそもド・ゴール自身、フランスの法廷で欠席裁判のまま死刑宣告されているのです。

ド・ゴール以外にも、フランソワ・ダルラン将軍、アンリ・ジロー将軍といった軍の実力者がいて、フランスの正統な代表者の地位を争っていました。最終的にド・ゴールが競争相手を排除して、自由フランス軍のトップに立ちますけれど、それでも一交戦団体に過ぎません。44年にド・ゴールが「フランス共和国臨時政府」を名乗ったときも、アメリカもイギリスもこれを承認するのを渋りました。ド・ゴールが一交戦団体に過ぎなかった自由フランスを「戦勝国」にカテゴリー変更させたのは、彼の発揮した軍事的・外交的実力によってです。44年、ノルマンディー上陸後、西部戦線でのドイツ軍との戦闘が膠着状態にあったとき、ド・ゴールはこの機会にフランスを連合国に「高く売る」ことに腐心しています。回想録にはそのことが率直に書いてあります。

「戦争がまだ長引くということは、われわれフランス人が耐え忍ばなければならない損失、被害、出費を考えれば、たしかに痛ましいことである。しかし、フランスの最優先の利害を勘案するならば、フランス人の当面の利益を犠牲にしても、戦争の継続は悪い話ではなかった。なぜなら、戦争がさらに長びくならば、アフリカやイタリアでそうだったように、われわれの協力がライン河・ドナウ河での戦闘にも不可欠のものとなるからである。われわれの世界内における地位、さらにはフランス人がこれから何世代にもわたたって自分自身に対して抱く評価がそこにかかっている。」(*Ibid.*, p.44)

ド・ゴールは、パリ解放からドイツ降伏までのわずかの時間内に、フランス軍の軍事的有用を米英に誇示できるかどうかに戦後フランスの国際社会における立場がかかっているということを理解していました。本当にこのときのフランスは綱渡りだったのです。ノルマンディー上陸作戦の時点ではド・ゴールの自由フランスの支持基盤は国内のレジスタンスだけでした。それが戦局の推移に伴ってそれ以外のフランス人たちも自由フランスを自分たちの代表として承認する気分になり、最後に米英はじめ世界の政府がド・ゴールの権威を承認せざるを得なくなった。ですから、ド・ゴールが「国を救った」というのは本当なのです。対独協力国、事実上の枢軸国がいつのまにか連合国の一員になり、さらに国際社会の重鎮になりおおせていたわけですから、これはド・ゴールの力業という他ありません。

でも、このド・ゴールが力業でフランスの体面を救ったことによって、フランス人は戦争経験の適切な総括を行う機会を奪われてしまった。本当を言えば、ドイツの犯したさまざまな戦争犯罪に加担してきたフランス人たちはもっと「疚(やま)しさ」を感じてよかったのです。でも、フランス人は戦勝国民として終戦を迎えてしまった。フランス人は「敗戦を総括する義務」を免除された代わりにもっと始末におえないトラウマを抱え込むことになりました。

## イタリアとの比較

僕たち日本人はイタリアがどんなふうに終戦を迎えたかについてはほとんど知るところがありません。世界史の授業でもイタリアの敗戦については詳しく教えてもらった記憶がない。教科書で教えてもらえないことは、映画や小説を通じて学ぶわけですけれども、イタリアの終戦時の混乱については、それを主題にした映画や文学も日本ではあまり知られておりません。『無防備都市』（ロベルト・ロッセリーニ監督、1945年）にはイタリアのレジスタンスの様子がリアルに描かれていますが、僕が知っているのはそれくらいです。ですから、ナチスと命がけで戦ったイタリア人がいたことや、イタリア人同士で激しい内戦が行われていたという歴史的事実も日本人はあまり知らない。

1943年7月に、反ファシスト勢力が結集して、国王のヴィットーリオ・エマヌエーレ三世が主導して、ムッソリーニを20年にわたる独裁者の地位から引きずり下ろしました。そして、首相に指名されたピエトロ・バドリオ将軍は水面下で連合国と休戦交渉を進めます。その後、監禁されていたムッソリーニをドイツの武装親衛隊が救い出して、北イタリアに傀儡政権「イタリア社会共和国」を建て、内戦状態になります。最終的にドイツ軍はイタリア領土内から追い出され、ムッソリーニはパルチザンに捕らえられて、裁判抜きで処刑され、その死体はミラノの広場に逆さ吊りにされました。イタリア王国軍とパルチザンがムッソリーニのファシスト政権に引導を渡し、ドイツ軍を敗走させた。ですから、イタリアは法理的には戦勝国を名乗る資格がある。でも、たぶん「イタリアは戦勝国だ」と思っている日本人はほとんどいない。自分たちと同じ敗戦国だと思っている。

たしかに、戦後イタリアを描いた『自転車泥棒』（ヴィットリオ・デ・シーカ監督、1948年）のような映画を観ると、街は爆撃でひどいことになっているし、人々は食べるものも仕事もなくて、痩せこけている。「ああ、イタリアも日本と同じだ」と思っても不思議はない。でも、違います。イタリアは主観的には戦勝国なんです。だいたい、イタリアは1945年7月には日本に宣戦布告しているんです。

フランスとイタリアを比べれば、フランスよりイタリアの方がずっと戦勝国条件が整っている。フランスは先ほど述べたように紙一重で戦勝国陣営に潜り込み、国連の常任理事国になり、核保有国になり、今も世界の大国としてふるまっています。それは一にシャルル・ド・ゴールという卓越した政治的能力を持つ人物が国家存亡のときに登場したからです。ド・ゴールがいて、ルーズベルトやチャーチルと一歩も引かずに交渉したから、フランスは戦勝国「のようなもの」として戦後世界に滑り込むことができた。でも、イタリアにはそんなカリスマ的な人物がいませんでした。戦争指導者であったヴィットーリオ・エマヌエーレ三世とバドリオ将軍は、ドイツ軍がローマに侵攻してきたとき、市民を「無防備都市」に残したまま自分たちだけ逃亡してしまった。そのせいでイタリア軍の指揮系統は壊滅しました。戦後の国民投票で国民たちの判断で王政が廃止されたのは、このときの戦争指導部の国民に対する裏切りを国民が許さなかったからです。

フランスとイタリアのどちらも「勝ったんだか負けたんだかよくわからない仕方で戦争が終わった」わけですけれど、フランスにはド・ゴールがいて、イタリアにはいなかった。それが戦後の両国の立ち位置を決めてしまった。

でも、僕はこれを必ずしもフランスにとって幸運なことだったとも、イタリアにとって不幸なことだったとも思わないのです。イタリアは「敗戦国みたいにぼろぼろになった戦勝国」として終戦を迎えました。戦争の現実をありのままに、剝き出しに経験した。戦勝を誇ることもできなかったし、敗戦を否認する必要もなかった。だから、彼らの戦争経験の総括には変なバイアスがかかっていない。

先日、イタリアの合気道家が僕の道場に出稽古に来たことがありました。稽古のあとの歓談のとき、「そういえば君たち、昔、日本に宣戦布告したことがあるでしょう」と訊いてみました。たぶん、そんなこと知らないと思ったんです。意外なことに、彼はすぐに苦笑して、「どうもすみませんでした」と謝るんです。「イタリアって、どさくさまぎれにああいうことをやるんです。フランスが降伏したときにも仏伊国境の土地を併合したし。そういう国なんです。申し訳ない」と。僕は彼のこの対応にびっくりしました。自国の近代史のどちらかというと「汚点」を若いイタリア人が常識として知っているということにまず驚き、それについて下手な言い訳をしないで、さらっと「ごめんね」と謝るところにさらに驚きました。事実は事実としてまっすぐみつめる。非は非として受け容れ、歴史修正主義的な無駄な自己弁護をしない。そのとき僕は「敗戦の否認をしなかった国民」というものがあるとしたら、「こういうふう」になるのかなと思いました。

イタリアは「ほとんど敗戦」という他ないほどの被害を蒙った。内戦と爆撃で都市は傷ついた。行政も軍もがたがたになった。戦死者は30万人に及んだ。でも、その経験を美化もしなかったし、否認もしなかった。「まったくひどい目に遭った。でも、自業自得だ」と受け止めた。だから、戦争経験について否認も抑圧もない。

## 対独協力国だった歴史的事実の否認

フランスの場合は、ヴィシーについてはひさしく歴史的研究そのものが抑圧されていました。先ほど名前が出ましたベルナール＝アンリ・レヴィの『フランス・イデオロギー』はヴィシーに流れ込む19世紀20世紀の極右思想史研究ですが、この本が出るまで戦後44年の歳月が必要でした。刊行されたときも、保守系メディアはこれに集中攻撃を加えました。「なぜせっかくふさがった『かさぶた』を剝がして、塩を塗り込むようなことをするのか」というのです。それからさらに30年近くが経ちますが、ヴィシー政府の時代にフランスが何をしたのかについての歴史的な研究は進んでいません。

ナチスが占領していた時代のフランス人は何を考え、何を求めて、どうふるまったのか。いろいろな人がおり、いろいろな生き方があったと思います。それについての平明な事実を知ることが現代のフランス人には必要だと僕は思います。ド・ゴールが言うように「自分自身に対して抱く評価」を基礎づけるために。でも、それが十分に出来ているように僕には思えません。フランスの場合は「敗戦の否認」ではなく、対独協力国だったという歴史的事実そのものが否認されている。その意味では、あるいは日本より病が深いかもしれない。

本来なら、ヴィシー政府の政治家や官僚やイデオローグたちの事績を吟味して、「一体、ヴィシーとは何だったのか、なぜフランス人は民主的な手続きを経てこのような独裁制を選択したのか」という問いを徹底的に究明すべきだったと思います。でも、フランス人はこの仕事をネグレクトしました。ヴィシー政府の要人たちに対する裁判もごく短期間のうちに終えてしまった。東京裁判やニュルンベルク裁判のように、戦争犯罪の全貌を明らかにするということを抑制した。ペタン元帥や首相だったピエール・ラヴァルの裁判はわずか1ヵ月で結審して、死刑が宣告されました。裁判は陪審員席からも被告に罵声が飛ぶというヒステリックなもので、真相の解明というにはほど遠かった。この二人に全責任を押しつけることで、それ以外の政治家や官僚たちは事実上免責されました。そして、この「エリートたち」はほぼそのまま第四共和政の官僚層に移行する。

レヴィによれば、フランスにおいて、ヴィシーについての歴史学的な検証が進まなかった最大の理由は、ヴィシー政府の官僚層が戦後の第四共和政の官僚層を形成しており、彼らの非を細かく咎めてゆくと、第四共和政の行政組織そのものが空洞化するリスクがあったからだということでした。事情を勘案すれば、フランス政府が、国家的選択として対独協力していたわけですから、それをサボタージュした官僚はうっかりするとゲシュタポに捕まって、収容所に送られるリスクがあったわけです。組織ぐるみの対独協力をせざるを得なかった。

だから、一罰百戒的に、トップだけに象徴的に死刑宣告を下して、あとは免罪して、戦後の政府機構に取り込むことにした。それは当座の統治システムの維持のためには、しかたなかったのかも知れません。

ですから、ヴィシーについての歴史学的な実証研究が始まるのは、この官僚たちが現役を引退した後になります。1980年代に入って、戦後40年が経って、ヴィシー政府の高級官僚たちが退職したり、死んだりして、社会的な影響がなくなった時点ではじめて、最初は海外の研究者たちが海外に流出していたヴィシー政府の行政文書を持ち出して、ヴィシー研究に手を着け始めた。フランス人自身によるヴィシー研究は『フランス・イデオロギー』が最初のものです。戦争が終わって44年後です。「ヴィシーの否認」は政治的に、意識的に、主体的に遂行された。でも、そのトラウマは別の病態をとって繰り返し回帰してきます。僕はフランスにおける「イスラモフォビア」(イスラム嫌悪症)はそのような病態の一つではないかと考えています。

フランスは全人口の10%がムスリムです。ニースで起きたテロ事件で露呈したように、フランス社会には排外主義的な傾向が歴然と存在します。大戦後も、フランスは1950年代にアルジェリアとベトナムで旧植民地の民族解放運動に直面したとき、暴力的な弾圧を以て応じました。結果的には植民地の独立を容認せざるを得なかったのですが、独立運動への弾圧の激しさは、「自由・平等・友愛」という人権と民主主義の「祖国」のふるまいとは思えぬものでした。そんなことを指摘する人はいませんが、これは「ヴィシーの否認」が引き起こしたものではないかと僕は考えています。「対独協力を選んだフランス」、「ゲシュタポと協働したフランス」についての十分な総括をしなかったことの帰結ではないか。

もしフランスで終戦時点で自国の近過去の「逸脱」についての痛切な反省がなされていたら、50年代におけるフランスのアルジェリアとベトナムでの暴力的な対応はある程度抑止されたのではないかと僕は想像します。フランスはナチス・ドイツの暴力に積極的に加担した国なのだ、少なくともそれに加担しながら反省もせず、処罰も免れた多数の国民を今も抱え込んでいる国なのだということを公式に認めていたら、アルジェリアやベトナムでの事態はもう少し違うかたちのものになっていたのではないか。あれほど多くの人が殺されたり、傷ついたりしないで済んだのではないか。僕はそう考えてしまいます。

自分の手は「汚れている」という自覚があれば、暴力的な政策を選択するときに、幾分かの「ためらい」があるでしょう。けれども、自分の手は「白い」、自分たちがこれまでふるってきた暴力は全て「正義の暴力」であり、それについて反省や悔悟を全く感じる必要はない、ということが公式の歴史になった国の国民には、そのような「ためらい」が生まれない。フランスにおけるムスリム市民への迫害も、そのような「おのれの暴力性についての無自覚」のせいで抑制が利きにくくなっているのではないでしょうか。

他の敗戦国はどうでしょう。ハンガリーは最近、急激に右傾化して、排外主義的な傾向が出てきています。タイも久しく穏やかな立憲君主制でいましたけれども、近年はタクシン派と反タクシン派が戦い続けて、国内はしばしば内戦に近い状態を呈しています。スロバキアとかクロアチアとかにもやはり政治的にある種の不安定さを常に感じます。

戦争後は、どの国も「この話はなかったことに」という国民的合意に基づいて「臭いものに蓋」をした。当座はそれでよかったかも知れません。でも、蓋の下では、抑圧された国民的な「恥辱」や「怨嗟（えんさ）」がいつまでも血を流し、腐臭を発している。だから、ハンガリーの現在の政治状況や、タイの現在の政治状況が、それぞれの国の敗戦経験の総括と全く無関係かどうかということは、かなり精密な検証をしてみないとわからない。そこには何らかの「関連がある」という仮説を立てて検証をしてみてよいのではないか。してみるだけの甲斐はあると僕は思います。

## 「記憶の改竄」のツケ

戦争の記憶を改竄することによって、敗戦国民は当座の心の安らぎは手に入れることができるかも知れません。でも、そこで手に入れた「不当利得」はどこかで返済しなければならない。いずれ必ず後でしっぺ返しが来る。世界の敗戦国を一瞥すると、どこも70年かけて、ゆっくりと、でも確実に「記憶の改竄」のツケを支払わされている。『永続敗戦論』が明らかにしたように、日本も敗戦の否認のツケを払わされている。そして、この返済はエンドレスなんです。「負債がある」という事実を認めない限り、その負債を割賦でいいから返して行かない限り、この「負債」は全く別の様態をとって、日本人を責め続ける。

「ドイツは敗戦経験の総括に成功した」と多くの人が言います。でも、本当にそうなんでしょうか。僕は簡単には諾うことができません。東ドイツのことを勘定に入れ忘れているような気がするからです。

東ドイツは「戦勝国」なんです。東ドイツはナチスと戦い続けたコミュニストが戦争に勝利して建国した国だという話になっている。だから、東ドイツ国民はナチスの戦争犯罪に何の責任も感じていない。感じることを国策的に禁止されていた。責任なんか感じてるはずがない。自分たちこそナチスの被害者であり、敵対者だということになっているんですから。悪虐非道なるナチスと戦って、それを破り、ドイツ国民をナチスの軛から解放した人々が、何が悲しくて、ナチスの戦争犯罪について他国民に謝罪しなければならないのか。

1990年に再統一した当時、西ドイツと東ドイツとは人口比でいうと4対1でした。ということは、その時点では、全ドイツ人口の20%、1600万人は「自分たちはナチス・ドイツの戦争犯罪に何の責任もない」と子どものころからずっと教えられてきた人たちだったということです。それが統一後のドイツの国民的自意識にどういう影響を与えたのか。僕は寡聞にして知りません。

日本国内に「日本軍国主義者の戦争犯罪について、われわれには何の責任もない。われわれは彼らと戦って、日本を解放したのである」と教えられて来た人が２４００万人いる状況を想定してください。そう信じている「同胞」を受け容れ、戦争経験について国民的規模での総括を行い、合意を形成するという作業がどれほど困難であるか、想像がつくと思います。さて、果たして、ドイツでは東西ドイツが統一したときに、戦争経験の総括について、国民的合意を形成し得たのか。僕は「ドイツはこんな風に合意形成を成し遂げました」と納得のゆく説明をしたものをこれまで読んだことがありません。いや、それは僕がただ知らないだけで、そういう「全く相容れない戦争経験総括を一つにまとめあげたドイツの素晴らしい政治的達成」についてはすでに色々な報告や研究が出ているのかも知れません。でも、そうだとしたら、それこそ「国民的和解」の最良のモデルケースであるわけですから、国内的な対立を抱える様々な国について、何かあるごとに、「ここでも『和解のためのドイツ・モデル』を適用すべきではないか」ということが言及されてよいはずです。でも、僕はそのような「和解モデル」について聞いたことがない。

ドイツの戦争総括の適切さを語るときに、よくヴァイツゼッカー元大統領の演説が引かれます。この人はヨーロッパの諸国を訪れては、そのつどきちんとナチス・ドイツ時代の戦争犯罪について謝罪しています。その倫理的な潔さは疑うべくもありません。けれども、やはり日本とは話の運びが微妙に違う。ヴァイツゼッカーは５月８日、ドイツが連合国に無条件降伏した日を「ドイツ国民解放の日」と言っているからです。われわれはナチスの暴虐からその日に解放されたのである、それを言祝ぐという立場を取る。悪いのはあくまでナチスとその軍事組織や官僚組織や秘密警察組織であって、ドイツ国民はその犠牲者であったという立場は譲らない。ドイツ国民の罪はナチスのような政党を支持し、全権を委ねてしまったことにある。そのような過ちを犯したことは認めるけれども、基本的にはドイツ国民もまたナチスの被害者であり、敗戦によってナチスの軛から解放されたという物語になっている。

日本人にも敗戦が一種の解放感をもたらしたということは事実だったでしょう。けれども、8月15日を「解放の日」だと言う人はほとんどいません。表だってそう発言するのは、かなり勇気が要る。けれども、実感としては、それに近いことを思っていた日本人は少なくなかったと思います。

小津安二郎の遺作『秋刀魚の味』（松竹、1962年）の中で、笠智衆の演じる今はサラリーマンをしている駆逐艦の元艦長平山と、加東大介の演じるかつての駆逐艦の乗組員坂本が、町なかでばったり出会うという場面があります。坂本が平山を誘って、トリスバーのカウンターに座ってウィスキーを飲む。このときに坂本が「ねえ、艦長、もしあの戦争に勝っていたらどうなったんでしょうね」と問う。平山は静かに笑いながら、「負けてよかったじゃないか」と答える。そうすると、坂本は「え？」と一瞬怪訝（けげん）な顔をするのですが、ふと得心したらしく、「そうかもしれねえな。ばかなやつが威張らなくなっただけでもね」と呟く。これは敗戦がもたらした解放感についての、あの世代の偽らざる実感だったんじゃないかなと思います。

僕は1950年生まれで、父はもちろん戦中派なのですが、僕が小さい頃に、父が会社の同僚を家に連れてきて飲んでいるときに誰かが「負けてよかったじゃないか」と呟くのを僕は二、三度聞いたことがあります。特に力んで主張するというのではなく、何かの弾みにぽろりと口にされる。そして、その言葉が口にされると、男たちは皆黙り込む。それで怒り出す人もいないし、泣き出す人もいない。それは思想とは言えないものでした。敗戦の総括としてはあまりに言葉が足りない。けれども、おそらくこれが戦中派の実感だったと思います。それが世代的な実感として、言挙げしないでも共有されている限り、そのような敗戦の総括もそれなりのリアリティを持ち得た。けれども、そういう片言隻語（へんげんせきご）だけでは、彼らの思いが輪郭のしっかりした思想として次の世代に継承されることはありません。

白井さんの本を読んでいると、日本は異常な仕方で敗戦を否認してきたことがわかる。これは全くその通りなんですけれども、それだけでなく、多くの敗戦国はそれぞれ固有の仕方でやはり自国の敗戦を否認している。僕にはそう思われます。

それぞれの国は自国について、長い時間をかけてそれまで積み上げてきた「国民の物語」を持っています。これは戦争に勝っても負けても手離すことができない。だから、自分たちの戦争経験を、世代を超えて語り継がれる「物語」になんとかして統合しようとした。

日本人は歴史について都合の悪いことは書かないと指摘されます。それは全くその通りなんです。でも、それは程度の差はあれ、どこの国も同じなんです。戦争をどう総括するかということは、まっすぐに自分たち自身に対する、世代を超えて受け継がれる「評価」に繋がる。だから、大幅に自己評価を切り下げるような「評価」はやはり忌避される。もし敗北や、戦争犯罪についての経験を「国民の物語」に繰り込むことができた国があるとすれば、それは非常に「タフな物語」を作り上げたということです。

自分たちの国には恥ずべき過去もある。口にできない蛮行も行った。でも、そういったことを含めて、今のこの国があるという、自国についての奥行きのある、厚みのある物語を共有できれば、揺るがない、土台のしっかりとした国ができる。逆に、口当たりの良い、都合のよい話だけを積み重ねて、薄っぺらな物語を作ってしまうと、多くの歴史的事実がその物語に回収できずに、脱落してしまう。でも、物語に回収されなかったからといって、忘却されてしまうわけではありません。抑圧されたものは必ず症状として回帰してくる。これはフロイトの卓見です。押し入れの奥にしまい込んだ死体は、どれほど厳重に梱包しても、そこにしまったことを忘れても、やがて耐えがたい腐臭を発するようになる。

僕は歴史修正主義という姿勢に対しては非常に批判的なのですけれども、それは、学問的良心云々というより、僕が愛国者だからです。日本がこれからもしっかり存続してほしい。

盤石の土台の上に、国の制度を基礎づけたい。僕はそう思っている。そのためには国民にとって都合の悪い話も、体面の悪い話も、どんどん織り込んで、清濁併せ呑める「タフな物語」を立ち上げることが必要だと思う。だから、「南京虐殺はなかった」とか「慰安婦制度に国は関与していない」とかぐずぐず言い訳がましいことを言っているようではだめなんです。過去において、国としてコミットした戦争犯罪がある。戦略上の判断ミスがある。人間として許しがたい非道な行為がある。略奪し、放火し、殺し、強姦した。その事実は事実として認めた上で、なぜそんなことが起きたのか、なぜ市民生活においては穏やかな人物だった人たちが「そんなこと」をするようになったのか、その文脈をきちんと捉えて、どういう信憑が、どういう制度が、どういうイデオロギーが、そのような行為をもたらしたのか、それを解明する必要がある。同じようなことを二度と繰り返さないためには、その作業が不可欠です。そうすることで初めて過去の歴史的事実が「国民の物語」のうちに回収される。「汚点」でも「恥ずべき過去」でも、日の当たるところ、風通しの良いところにさらされていればやがて腐臭を発することを止めて「毒」を失う。

その逆に、本当にあった出来事を「不都合だから」「体面に関わるから」というような目先の損得で隠蔽し、否認すれば、その毒性はしだいに強まり、やがてその毒が全身に回って、共同体の「壊死」が始まる。

## アメリカの「文化的復元力」

なぜアメリカという国は強いのか。それは「国民の物語」の強さに関係していると僕は思っています。戦勝国だって、もちろん戦争経験の総括を誤れば、毒が回る。勝とうが負けようが、戦争をした者たちは、口に出せないような邪悪なこと、非道なことを、さまざま犯してきている。もし戦勝国が「敵は『汚い戦争』を戦ったが、われわれは『きれいな戦争』だけを戦ってきた。だから、われわれの手は白い」というような、薄っぺらな物語を作って、それに安住していたら、戦勝国にも敗戦国と同じような毒が回ります。そして、それがいずれ亡国の一因になる。

アメリカが「戦勝国としての戦争の総括」にみごとに成功したとは僕は思いません。でも、戦後70年にわたって、軍事力でも経済力でも文化的発信力でも、世界の頂点に君臨しているという事実を見れば、アメリカは戦争の総括において他国よりは手際がよかったとは言えるだろうと思います。

アメリカが超覇権国家たりえたのは、これは僕の全く独断と偏見ですけれども、彼らは「文化的復元力」に恵まれていたからだと思います。カウンターカルチャーの手柄です。

70年代のはじめまで、ベトナム戦争中の日本社会における反米感情は今では想像できないほど激しいものでした。ところが、1975年にベトナム戦争が終わると同時に、潮が引くように、この反米・嫌米感情が鎮まった。つい先ほどまで「米帝打倒」と叫んでいた日本の青年たちが一気に親米的になる。この時期に堰を切ったようにアメリカのサブカルチャーが流れ込んできました。若者たちはレイバンのグラスをかけて、ジッポーで煙草の火を点け、リーバイスのジーンズを穿き、サーフィンをした。なぜ日本の若者たちが「政治的な反米」から「文化的な親米」に切り替わることができたのか。それは70年代の日本の若者が享受しようとしたのが、アメリカのカウンターカルチャーだったからです。

カウンターカルチャーはアメリカの文化でありながら、反体制・反権力的なものでした。日本の若者たちがベトナム反戦闘争を戦って、機動隊に殴られているときに、アメリカ国内でもベトナム反戦闘争を戦って、警官隊に殴られている若者たちがいた。アメリカ国内にもアメリカ政府の非道をなじり、激しい抵抗を試みた人たちがいた。海外にあってアメリカの世界戦略に反対している人間にとっては、彼らこそがアメリカにおける「取りつく島」であった訳です。つまり、アメリカという国は、国内にそのつどの政権に抗う「反米勢力」を抱えている。ホワイトハウスの権力的な政治に対する異議申し立て、ウォール街の強欲資本主義に対する怒りを、最も果敢にかつカラフルに表明しているのは、アメリカ人自身です。この人たちがアメリカにおけるカウンターカルチャーの担い手であり、僕たちは彼らにになら共感することができた。僕たちがアメリカ政府に怒っている以上に激しくアメリカ政府に怒っているアメリカ人がいる。まさにそれゆえに僕たちはアメリカの知性と倫理性に最終的には信頼感を抱くことができた。反権力・反体制の分厚い文化を持っていること、これがアメリカの最大の強みだと僕は思います。

ベトナム戦争が終わると、ベトナムからの帰還兵が精神を病み、暴力衝動を抑制できなくなり、無差別に人を殺すという映画がいくつも作られました。ロバート・デ・ニーロの『タクシードライバー』（1976年）がそうですし、『ローリング・サンダー』（1977年）もシルヴェスター・スタローンの『ランボー』（1982年）もそうです。アメリカ人はそういう物語を商業映画・娯楽映画として製作し、観客もこれを受け入れた。僕たちはそのことにあまり驚きを感じません。けれども、もし日本でイラク駐留から帰ってきた自衛隊員が精神を病んで、市民を殺しまくるなんていう映画を作ることが可能でしょうか。まず、企画段階で潰されるだろうし、官邸からも防衛省からも激しい抗議があるでしょうし、上映しようとしたら映画館に右翼の街宣車が来て、とても上映できないということになるでしょう。それを考えたら、アメリカのカウンターカルチャーの強さが理解できると思います。彼らはベトナム戦争の直後に、自分たちの政府が強行した政策がアメリカ人自身の精神をどう破壊したかを、娯楽映画として商品化して見せたのです。同じことができる国が世界にいくつあるか、数えてみて欲しいと思います。

アメリカではこれができる。ハリウッド映画には、大統領が犯人の映画、ＣＩＡ長官が犯人の映画というような映画も珍しくありません。クリント・イーストウッドの『目撃』（1997年）もケヴィン・コスナーの『追いつめられて』（1987年）もそうです。警察署長が麻薬のディーラーだった、保安官がゾンビだったというような映画なら掃いて捨てるほどあります。アメリカ映画は、「アメリカの権力者たちがいかに邪悪な存在でありうるか」を、物語を通じて、繰り返し、繰り返し国民に向けてアナウンスし続けている。世界広しといえども、こんなことができる国はアメリカだけです。

米ソは冷戦時代には軍事力でも科学技術でも拮抗状態にありましたが、最終的には一気にソ連が崩れて、アメリカが生き残った。最後に国力の差を作り出したのは、カウンターカルチャーの有無だったと僕は思います。自国の統治システムの邪悪さや不条理を批判したり嘲弄したりする表現の自由は、アメリカにはあるけれどもソ連にはなかった。この違いが「復元力」の違いになって出てくる。

どんな国のどんな政府も必ず失策を犯します。「無謬（むびゅう）の統治者」というようなものはこの世には存在しません。あらゆる統治者は必ずどこかで失策を犯す。そのときに、自分の間違いや失敗を認めず、他罰的な言い訳をして、責任を回避する人間たちが指導する国と、統治者はしばしば失敗するということを織り込み済みで、そこから復元するシステムを持っている国では、どちらが長期的にはリスクを回避できるか。考えるまでもありません。

もちろん、ソ連や中国にも優れた政治指導者がいました。個人的に見れば、アメリカの大統領よりはるかに知性的にも倫理的にも卓越していた指導者がいた。でも、まさにそうであるがゆえに、体制そのものが「指導者が無謬であることを前提にして」制度設計されてしまった。それがじわじわとこれらの国の国力を損ない、指導者たちを腐敗させていった。中国だって、今は勢いがありますけれど、指導部が「無謬」であるという物語を手離さない限り、早晩ソ連の轍を踏むことになるだろうと僕は思います。

ヨーロッパでは、イギリスにはいくらか自国の統治者たちを冷笑する、皮肉な文化が残っています。カナダにも。だから、これはアングロサクソンの一つの特性かもしれません。アメリカの国力を支えているのは、自国について「タフな物語」を持っているという事実です。「タフな胃袋」と同じで、何でも取り込める。

アメリカ人は、自国の「恥ずべき過去」を掘り返すことができる。自分たちの祖先がネイティブ・アメリカンの土地を強奪したこと、奴隷たちを収奪することによって産業の基礎を築いたこと、それを口にすることができる。そのような恥ずべき過去を受け入れることができるという「器量の大きさ」において世界を圧倒している。

カウンターカルチャーとメインカルチャーの関係は、警察の取り調べのときに出てくる「グッド・コップ」と「バッド・コップ」の二人組みたいなものです。一方が容疑者を怒鳴り散らす、他方がそれをとりなす。一方が襟首をつかんでこづき回すと、他方がまあまあとコーヒーなんか持ってくる。そうすると、気の弱った容疑者は「グッド・コップ」に取りすがって、この人の善意に応えようとして、自分の知っていることをぺらぺらとしゃべりだす。

映画ではよく見る光景ですけれど、メインカルチャーとカウンターカルチャー、権力と反権力の「分業」というのはそれに似ています。複数の語り口、複数の価値観を操作して、そのつどの現実にフレキシブルに対応してゆく。

だから、アメリカには「国民の物語」にうまく統合できない、呑み込みにくい歴史的事実が他国と比べると比較的少ない。「押し入れの中の死体」の数がそれほど多くないということです。もちろん、うまく取り込めないものもあります。南北戦争の敗者南部11州の死者たちへの供養は、僕の見るところ、まだ終わっていない。アメリカ=メキシコ戦争による領土の強奪の歴史もうまく呑み込めていない。アメリカにとって都合の良い話に作り替えられた『アラモ』（1960年）で当座の蓋をしてしまった。この蓋をはずして、もう一度デイビー・クロケットやジム・ボウイの死体を掘り起こさないといずれ腐臭が耐えがたいものになっていく。いや、現代アメリカにおける「メキシコ問題」というのは、遠因をたどれば「アラモ」の物語があまりに薄っぺらだったことに起因していると言ってもよいのではないかと僕は思います。アメリカ=スペイン戦争もそうです。ハワイの併合に関わる陰謀も、フィリピン独立運動の暴力的弾圧も、キューバの支配がもたらした腐敗もそうです。アメリカがうまく呑み込めずにいるせいで、娯楽作品として消費できない歴史的過去はまだいくらもあります。でも、これらもいずれ少しずつ「国民の物語」に回収されてゆくだろうと僕は予測しています。アメリカ人は、統治者が犯した失政や悪政の犠牲者たちを「供養する」ことが結果的には国力を高めることに資するということを経験的に知っているからです。そして、どの陣営であれ、供養されない死者たちは「祟る」ということを、無意識的にでしょうが、信じている。彼らの国のカウンターカルチャーは、「この世の価値」とは別の価値があるという信憑に支えられている。

## 日本人にとっての「タフな物語」の必要性

僕の父は山形県鶴岡の生まれです。ご存じでしょうか、庄内人たちは西郷隆盛が大好きです。庄内藩は戊辰戦争で最後まで官軍に抵抗して、力戦しました。そして、西郷の率いる薩摩兵の前に降伏した。けれども、西郷は敗軍の人たちを非常に丁重に扱った。死者を弔い、経済的な支援をした。一方、長州藩に屈服した会津藩では全く事情が違います。長州兵は会津の敗軍の人々を供養しなかった。死者の埋葬さえ許さず、長い間、さらしものにしさえした。

薩摩長州と庄内会津、どちらも同じ官軍・賊軍の関係だったのですが、庄内においては勝者が敗者に一掬(いっきく)の涙を注いだ。すると、恨みが消え、信頼と敬意が生まれた。庄内藩の若者たちの中には、のちに西南戦争のときに、西郷のために鹿児島で戦った者さえいますし、西郷隆盛の談話を録した『南洲翁遺訓』は庄内藩士が編纂したものです。一方、会津と長州の間には戊辰戦争から150年経った今もまだ深い溝が残ったままです。

靖国参拝問題が、あれだけもめる一因は靖国神社が官軍の兵士しか弔っていないからです。時の政府に従った死者しか祀られない。奥羽越列藩同盟の侍たちだって国のために戦ったんです。近代日本国家を作り出す苦しみの中で死んでいった。そういう人々については、敵味方の区別なく、等しく供養するというのが日本人としては当然のことだろうと僕は思います。

僕の曽祖父は会津から庄内の内田家に養子に行った人です。曽祖父の親兄弟たちは会津に残って死にました。なぜ、彼らは「近代日本の礎を作るために血を流した人たち」に算入されないのか。供養というのは党派的なものではありません。生きている人間の都合を基準にした論功行賞でなされるべきものではありません。だから、僕は靖国神社というコンセプトそのものに異議があるのです。明治政府の最大の失敗は、戊辰戦争での敗軍の死者たちの供養を怠ったことにあると僕は思っています。反体制・反権力的な人々を含めて、死者たちに対してはその冥福を祈り、呪鎮の儀礼を行う。そのような心性が「タフな物語」を生み出し、統治システムの復元力を担保する。その考えからすれば、「お上」に逆らった者は「非国民」であり、死んでも供養に値しないとした明治政府の狭量から近代日本の蹉跌は始まったと僕は思っています。

「祟る」というのは別に幽霊が出てきて何かするという意味ではありません。国民についての物語が薄っぺらで、容量に乏しければ、「本当は何があったのか」という自国の歴史についての吟味ができなくなるということです。端的には、自分たちがかつてどれほど邪悪であり、愚鈍であり、軽率であったかについては「知らないふりをする」ということです。失敗事例をなかったことにすれば、失敗から学ぶことはできません。失敗から学ばない人間は同じ失敗を繰り返す。失敗を生み出した制度や心性は何の吟味もされずに、手つかずのまま残る。ならば、同じ失敗がまた繰り返されるに決まっている。その失敗によって国力が弱まり、国益が失われる、そのことを僕は「祟る」と言っているのです。

「祟り」を回避するためには適切な供養を行うしかない。そして、最も本質的な供養の行為とは、死者たちがどのように死んだのか、それを仔細に物語ることです。細部にわたって、丁寧に物語ることです。それに尽くされる。

司馬遼太郎は「国民作家」と呼ばれますけれど、このような呼称を賦与された作家は多くありません。それは必ずしも名声ともセールスとも関係がない。司馬が「国民作家」と見なされるのは、近代日本が供養し損なった幕末以来の死者たちを、彼が独力で供養しようとしたからです。その壮図（そうと）を僕たちは多とする。

司馬遼太郎は幕末動乱の中で死んだ若者たちの肖像をいくつも書きました。坂本龍馬や土方歳三については長編小説を書きました。もっとわずか短い数頁ほどの短編で横顔を描かれただけの死者たちもいます。それは別に何らかの司馬自身の政治的メッセージを伝えたり、歴史の解釈を説いたというより、端的に「肖像を描く」ことをめざしていたと思います。

　司馬遼太郎の最終的な野心は、ノモンハン事件を書くことでした。でも、ついに書き上げることができなかった。1939年のノモンハン事件とは何だったのか、そこで人々はどのように死んだのか、それを仔細に書くことができれば、死者たちに対してはある程度の供養が果たせると思ったのでしょう。でも、この計画を司馬遼太郎は実現できませんでした。それはノモンハン事件にかかわった軍人たちの中に、一人として司馬が共感できる人物がいなかったからです。日露戦争を描いた『坂の上の雲』には秋山好古（よしふる）や児玉源太郎や大山巌など魅力的な登場人物が出て来ます。けれども、昭和初年の大日本帝国戦争指導部には司馬をしてその肖像を仔細に書きたく思わせるような人士がもう残っていなかった。これは本当に残念なことだったと思います。

　ノモンハンを書こうとした作家がもう一人います。村上春樹です。『ねじまき鳥クロニクル』で村上春樹はノモンハンについて書いています。でも、なぜノモンハンなのか。その問いに村上は答えていない。何だかわからないけれども、急に書きたくなったという感じです。でも、ノモンハンのことを書かないと日本人の作家の仕事は終わらないと直感したというところに、この人が世界作家になる理由があると僕は思います。日本人にとっての「タフな物語」の必要性を村上春樹も感じている。それが今の日本に緊急に必要なものであるということをよくわかっている。

「美しい国」というような空疎な言葉を吐き散らして、自国の歴史を改竄して、厚化粧を施していると、「国民の物語」はどんどん薄っぺらで、ひ弱なものになる。それは個人の場合と同じです。「自分らしさ」についての薄っぺらなイメージを作り上げて、その自画像にうまく当てはまらないような過去の出来事はすべて「なかったこと」にしてしまった人は、現実対応能力を致命的に損なう。だって、会いたくない人が来たら目を合わせない、聴きたくない話には耳を塞ぐんですから。そんな視野狭窄的な人間が現実の変化に適切に対応できるはずがありません。集団の場合も同じです。

国力とは国民たちが「自国は無謬であり、その文明的卓越性ゆえに世界中から畏敬されている」というセルフイメージを持つことで増大するというようなものではありません。逆です。国力とは、よけいな装飾をすべて削り落として言えば、復元力のことです。失敗したときに、どこで自分が間違ったのかをすぐに理解し、正しい解との分岐点にまで立ち戻れる力のことです。国力というのは、軍事力とか経済力とかいう数値で表示されるものではありません。失敗したときに補正できる力のことです。それは数値的には示すことができません。でも、アメリカの「成功」例から僕たちが学ぶことができるのは、しっかりしたカウンターカルチャーを持つ集団は復元力が強いという歴史的教訓です。僕はこの点については「アメリカに学べ」と言いたいのです。日本の左翼知識人には、あまりアメリカに学ぶ人はいません。親米派の学者たちも、よく見ると、まったくアメリカに学ぶ気はない。アメリカに存在する実定的な制度を模倣することには熱心ですけれど、なぜアメリカは強国たりえたのかについて根源的に考えるということには全く興味を示さない。アメリカの諸制度の導入にあれほど熱心な政治家も官僚も、アメリカにあって日本に欠けているものとしてまずカウンターカルチャーを挙げる人はいません。連邦制を挙げる人もいない。でも、アメリカの歴史的成功の理由はまさに「一枚岩になれないように制度を作り込んだ」という点にあるのです。でも、日本のアメリカ模倣者たちは、それだけは決して真似しようとしない。

ほかにもいろいろ言いたいことはありますけれど、すでに時間を大分超えてしまったので、この辺で終わります。ご静聴ありがとうございました。

## 質疑応答の時間に

**姜**　今日のお話を聞いていて、どういう「物語」を作るかということが最大のポリティクスになっている気がします。内田さんの比較敗戦論は、われわれのパースペクティヴを広げてくれました。韓国や中国では日本例外論、単純にドイツと日本を比較して日本はだめなんだ、だからわれわれは日本を半永久に批判していい、そういう理屈立てになりがちです。そのときに内田さんの比較敗戦論をもちいてみると、われわれのブラインドスポットになっている部分がよく見えてくる。解放の物語の自己欺瞞みたいなところも見えてくる。ところが、安倍さんのような人が出てくると、逆に、かつて自分たちが植民地であった、侵略をされた国は、ますます解放の物語を検証することをやらなくて済んでしまいますね。

**内田**　イージーな物語に対してイージーな物語で対抗すれば、どちらもどんどんシンプルでイージーな話に落ち込んでしまう。実際の歴史的な事件は「善玉と悪玉が戦っている」というようなシンプルな話ではないんです。さまざまな人たちが複雑な利害関係の中でわかりにくい行動を取っている。うっかりすると、本人たち自身、自分たちがどういう動機で行動しているのか、いかなる歴史的な役割を果たしているのか、わかっていないということだってある。それが歴史の実相だろうと思います。ですから、それをありのままに淡々と記述していく。軽々には評価を下さない。わかりやすいストーリーラインに落とし込むという誘惑にできる限り抵抗する。そういう歴史に対する自制心が非常に大事になると思います。

こういう仕事においては、歴史を叙述するときの語り口、ナラティヴの力というのが大きいと思うんです。最近、読んだ本の中でフィリップ・ロスの小説『プロット・アゲンスト・アメリカ——もしもアメリカが…』（集英社、2014年）がとても面白かった。これは1940年の米大統領選挙でルーズベルトではなく、共和党から出馬した大西洋単独飛行の英雄チャールズ・リンドバーグ大佐がヨーロッパでの戦争への不干渉を掲げて勝利してしまうという近過去SFなんです。現実でも、リンドバーグは親独的立場で知られていて、ゲーリングから勲章を授与されてもいます。ロスの小説では、アメリカに親独派政権が誕生して、ドイツと米独不可侵条約を、日本とは日米不可侵条約を結ぶ。そして、アメリカ国内では激しいユダヤ人弾圧が起きる……という話です。

僕はナラティヴというのは、こういうSF的想像力の使い方も含むと思います。もし、あのときにこうなっていたらというのは、本当に大事な想像力の使い方だと思う。

フィリップ・K・ディックの『高い城の男』（ハヤカワ文庫、１９８４年）というSFがあります。これは枢軸国が連合国に勝った世界の話です。日独がアメリカを占領している。東海岸がドイツ占領地で、ロッキー山脈から西側が日本の占領地。そういう場合に、日本人はアメリカをどういうふうに植民地的に統治するのか、それを考えるのは実は非常に大事な思考訓練なんです。実際に日本がアメリカ西部を安定的に統治しようとしたら、日本の価値観とか美意識とか規範意識を「よいものだ」と思って、自発的に「対日協力」をしようと思うアメリカ人を集団的に創り出すしかない。ドイツがフランスでやったのはそういうことでした。でも、日本の戦争指導部にそのようなアイディアがあったと僕は思いません。

アメリカの方は、日本に勝った後にどうやって占領するかの計画を早々と立案していた。日本人のものの考え方とか組織の作り方とかを戦時中に学者に委託して研究しています。卓越した日本人論として今も読み継がれている『菊と刀』はルーズベルトが設置した戦争情報局の日本班のチーフだったルース・ベネディクトが出した調査報告書です。日本社会を科学的に研究して、どういう占領政策が適切かを戦争が終わる前にもう策定していた。

果たして日本の大本営にアメリカに勝った後、どうやってアメリカを統治するか、何らかのプランがあったでしょうか。どうやって対日協力者のネットワークを政治家や学者やジャーナリストやビジネスマンの中に組織するかというようなことをまじめに研究していた部門なんか日本の軍部のどこにも存在しなかったと思います。戦争に勝ったらどうするのかについて何の計画もないままに戦争を始めたんです。そんな戦争に勝てるはずがない。

僕のSF的妄想は、1942年のミッドウェー海戦の敗北で、これはもう勝てないなと思い切って、停戦交渉を始めたらどうなったかというものです。史実でも、実際に、当時の木戸幸一内大臣と吉田茂たちは、すでに講和のための活動を始めています。近衛文麿をヨーロッパの中立国に送って、連合国との講和条件を話し合わせようという計画があった。もし、この工作が奏功して、42年か43年の段階で日本が連合国との休戦交渉に入っていれば、それからあとの日本の国のかたちはずいぶん違ったものになっただろうと思います。

ミッドウェー海戦で、帝国海軍は主力を失って、あとはもう組織的抵抗ができない状態でした。戦い続ければ、ただ死傷者を増やすだけしか選択肢がなかったのに、「攻むれば必ず取り、戦へば必ず勝ち」というような、まったく非科学的な軍事思想に駆動されていたせいで、停戦交渉という発想そのものが抑圧された。

この時点で戦争を止めていれば、本土空襲もなかったし、沖縄戦もなかったし、原爆投下もなかった。300万人の死者のうち、95%は死なずに済んだ。民間人の死傷者はほぼゼロで済んだはずです。ミッドウェーは日本軍の歴史的敗北でしたけれど、死者は３０００人に過ぎません。ほとんどの戦死者（実際にはその多くが戦病死者と餓死者でしたが）はその後の絶望的、自滅的な戦闘の中で死んだのです。

空襲が始まる前に停戦していれば、日本の古い街並みは、江戸時代からのものも、そのまま手つかずで今も残っていたでしょう。満州と朝鮮半島と台湾と南方諸島の植民地は失ったでしょうけれど、沖縄も北方四島も日本領土に残され、外国軍に占領されることもなかった。42年時点で、日本国内に停戦を主導できる勢力が育っていれば、戦争には負けたでしょうけれど、日本人は自分の手で敗戦経験の総括を行うことができた。なぜこのような勝ち目のない戦争に突っ込んで行ったのか、どこに組織的瑕疵（かし）があったのか、どのような情報を入力し忘れていたのか、どのような状況判断ミスがあったのか、それを自力で検証することができた。戦争責任の徹底追及を占領軍によってではなく、日本人自身の手で行えた可能性はあった。日本人が自分たちの手で戦争責任を追及し、憲法を改定して、戦後の日本の統治システムを日本人が知恵を絞って作り上げることは可能だった。

「もしミッドウェーのあとに戦争が終わっていたら、その後の戦後日本はどんな国になったのか」というようなＳＦ的想像はとても大切なものだと僕は思います。これはフィクションの仕事です。小説や映画やマンガが担う仕事です。政治学者や歴史学者はそういう想像はしません。でも、「そうなったかもしれない日本」を想像することは、自分たちがどんな失敗を犯したのかを知るためには実はきわめて有用な手立てではないかと僕は思っています。「アメリカの属国になっていなかった日本」、それが僕たちがこれからあるべき日本の社会システムを構想するときに参照すべき最も有用なモデルだと思います。

（2019年3月20日）

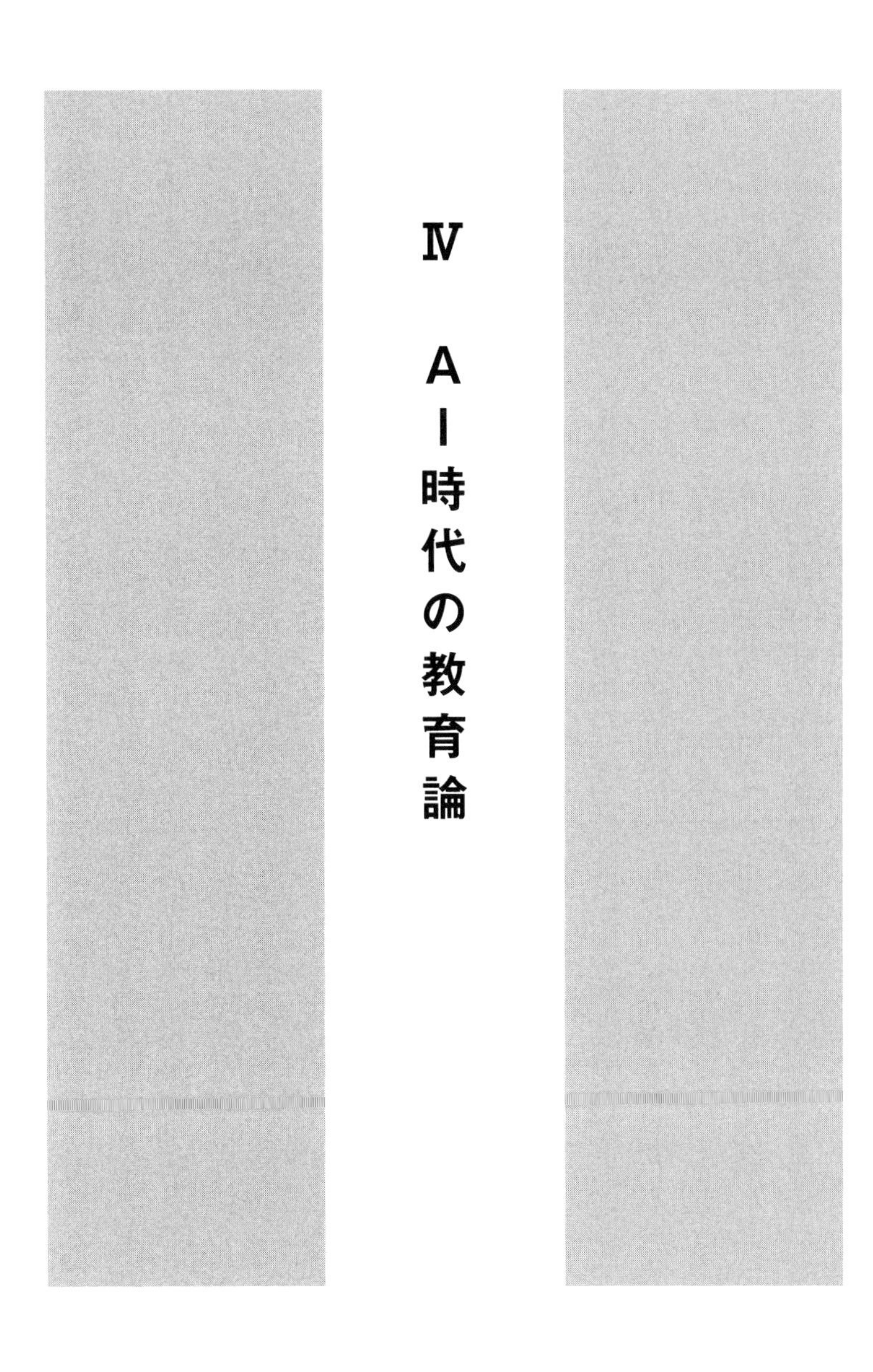

# Ⅳ　ＡＩ時代の教育論

# 論理は跳躍する

少し前に『すばる』でも教育についてのインタビューを受けた。そのときに「論理国語」について話したことがテープ起こしされて戻ってきたので、加筆してここに揚げる。

今度、兵庫県の国語の先生たちの集まりで講演をするのですが、その打ち合わせに来た先生たちに伺うと、現場の話題はやはり学習指導要領の改訂で登場した「論理国語」のようです。いったい何なの、とみなさん疑問に思っていらした。本当にわからないらしい。

そのときに「論理国語」に準拠した模試の問題の現物を見せてもらいました。驚きました。生徒会の議事録と生徒会の規約を見せて、年度内に生徒総会を開催することは可能かどうかを問うものだったんです……。

契約書や例規集を読める程度の実践的な国語力を「論理国語」という枠で育成するらしい。でも、模試問題を見る限り、これはある種の国語力を育てるというより、端的に文学を排除するのが主目的で作問されたものだと思いました。

「論理国語」を「文学国語」と切り離して教えることが可能だと考えた人たちは、文学とは非論理的なもので、何か審美的な、知的装飾品のように思っているんじゃないですか。だから、そんなもののために貴重な教育資源を割く必要はないと思っている。現にそう公言する人は政治家とビジネスマンには多くいますから。自分たちは子どもの頃から文学に何も関心がなかったけれど、そんなことは出世する上では何も問題がなかった。まったく文学と無縁のままにこのように社会的成功を収めた。だから、文学は学校教育には不要である、と。たぶんそういうふうに自分の「文学抜きの成功体験」に基づいて推論しているんだと思います。政治にもビジネスにも何の役にも立たないものに教育資源を費やすのは、金をドブに捨てているようなものだ、と。そういう知性に対して虚無的な考え方をする人たちが教育政策を起案している。これは現代の反知性主義の深刻な病態だと思います。

「論理国語」という発想に対して僕が懐疑的なのは、試験問題を作る場合、『正解』がわかっていて、受験生は論理的にそれをたどってゆくと「すらすらと」結論に達するというプロセスが自明の前提とされていることです。たぶん、彼らの考える「論理」というのは、そういうものなんでしょう。でも、論理的にものを考えるということを実際にした経験のある人ならわかると思うけれど、論理的に思考するというのは、平坦な道を歩くようなプロセスじゃない。むしろ、ある種の「深淵」に直面して、それを跳び越えるという「命がけ」のプロセスなんです。

僕は子どもの頃にエドガー・アラン・ポウやアーサー・コナン・ドイルを読んで「論理的にものを考える」ということがどういうことかを学びました。「論理的にものを考える」というのはオーギュスト・デュパンやシャーロック・ホームズ「のように考える」ということだと最初に刷り込まれた。それは今でも変わりません。

名探偵の推理こそ「論理的にものを考える」プロセスの模範だと思いますけれど、ここには「正解」を知っていて「作問」している人はいません。登場人物が現場に残された断片から推理して、その帰結として正解を「発見」するんです。名探偵の行う推理というのは、ひとつひとつの間に関連性が見出しがたい断片的事実を並べて、それらの断片のすべてを説明できる一つの仮説を構築することです。その仮説がどれほど非常識であっても、信じがたい話であっても、「すべてを説明できる仮説はこれしかない」と確信すると名探偵は「これが真実だ」と断言する。それは「論理」というよりむしろ「論理の飛躍」なんです。

それは実際に学術的な知性がやっていることと同じです。

カール・マルクスや、マックス・ウェーバーや、ジーグムント・フロイトはいずれもすばらしい知的達成をなしとげて人類の知的進歩に貢献したわけですけれど、彼らに共通するのは常人では真似のできないような「論理の飛躍」をしたことです。目の前に散乱している断片的な事実をすべて整合的に説明できる仮説は「これしかない」という推理に基づいて前代未聞のアイディアを提示してみせた。「階級闘争」も「資本主義の精神」も「反復強迫」もいずれも「論理の飛躍」の産物です。同じ断片を見せられて、誰もが同じ仮説にたどりつく訳じゃない。凡庸な知性においては、常識や思い込みが論理の飛躍を妨害するからです。

例外的知者の例外的である所以はその跳躍力なんです。彼らの論理的思考というのは、いわばこの跳躍のための助走なんです。こうであるならこうなる、こうであるならこうなる……と論理的に思考することによって、思考の速度を上げているんです。そして、ある速度に達したところで、飛行機が離陸するように、地面を離れて跳躍する。そうやって、ただこつこつと理屈をこねている限りは絶対に到達できないような高みに飛び上がることができる。「論理的にものを考える」というのはこの驚嘆すべきジャンプにおける「助走」に相当するものだと僕は思います。そこで加速して、踏切線で「常識の限界」を飛び越えて、日常的論理ではたどりつけないところに達する。

でも、凡庸な知性は、論理的に突き詰めて達した予想外の帰結を前にして立ちすくんでしまう。論理的にはそう結論する他ないのに、「そんなことあり得ない」と目をつぶって踏切線の前で立ち止まってしまう。それこそが「非論理的」ということなんです。

フロイトの『快感原則の彼岸』は20世紀で最も読まれたテクストの一つですけれど、フロイトはここで症例研究から、そのすべてを説明できる仮説として「反復強迫」さらには「死への衝動」という驚嘆すべきアイディアを取り出します。これは「跳躍」です。フロイト自身は「思弁」と呼んでいます。これは論理的にものを考えるということの本質的な力動性について書かれた重要な言葉だと思います。フロイトはこう述べています。

「次に述べることは思弁である。誰もが、それぞれの見地から価値をみとめたり、あるいは軽視したりするかもしれない行き過ぎた思弁にもなる可能性がある。つまりそれは、ある理念がどんな結論をみちびき出すかという好奇心から、その理念を首尾一貫して利用しつくそうとする試みである。」(「快感原則の彼岸」、『フロイト著作集6』、井村恒郎他訳、人文書院、1970年、163頁)

論理的にものを考えるというのは「ある理念がどんな結論をみちびき出すか」については、それがたとえ良識や生活実感と乖離するものであっても、最後まで追い続けて、「この前提からはこう結論せざるを得ない」という命題に身体を張ることです。

ですから、意外に思われるかも知れませんけれど、人間が論理的に思考するために必要なのは実は「勇気」なのです。

学校教育で子どもたちの論理性を鍛えるということをもし本当にしたいなら論理は跳躍するということを教えるべきだと思います。僕たちが「知性」と呼んでいるのは、知識とか情報とか技能とかいう定量的なものじゃない。むしろ、疾走感とかグルーヴ感とか跳躍力とか、そういう力動的なものなんです。

子どもたちが中等教育で学ぶべきことは、極論すれば、たった一つでいいと思います。それは「人間が知性的であるということはすごく楽しい」ということです。知性的であるということは「飛ぶ」ことなんですから。子どもたちだって、本当は大好きなはずなんです。

今回の「論理国語」がくだらない教科であるのは、そこで知的な高揚や疾走感を味わうことがまったく求められていないことです。そして、何より子どもたちに「勇気を持て」という、論理的に思考するために最も大切なメッセージを伝える気がかけらほどもないことです。

そもそも過去四半世紀の間に文科省が掲げた教育政策の文言の中に「勇気」という言葉があったでしょうか。僕は読んだ記憶がない。おそらく文科省で出世するためには「勇気」を持つことが無用だからでしょう。

官僚というのは「恐怖心を持つこと」「怯えること」「上の顔色を窺うこと」に熟達した人たちが出世する仕組みです。だから、彼らにとっては「勇気を持たなかったこと」が成功体験として記憶されている。教育政策が子どもたちに「恐怖心を植え付ける」ことにたいへん熱心ではあるけれど、「勇気を持たせること」にはまったく関心がないのは、官僚たち自身の実体験がそう思わせているのです。怯える人間が成功するというのは彼ら自身の偽らざる実感なんだと思います。だから、彼らはたぶん善意なんです。善意から子どもたちに「怯えなさい」と教えている。「怯えていると『いいこと』があるよ。私にはあった」と心の底から信じているから。

でも、言うまでもありませんが、知性の発達にとっては、恐怖心を持つことよりも勇気を持つことの方が圧倒的に重要です。

「勇気」は知性と無縁だと思う人がいるかも知れませんけれど、それは違います。

スティーヴ・ジョブズはスタンフォード大学の卒業式で、とても感動的なスピーチをしました。今でもYouTubeで見ることができますから、ぜひご覧になってください。その中でジョブズはこう言っています。

Most important, have the courage to follow your heart and intuition. They somehow already know what you truly want to become.「最も重要なのはあなたの心と直感に従う勇気を持つことである。あなたの心と直感はなぜかあなたが本当に何になりたいのかをすでに知っているからである。」

本当に大切なのは「心と直感」ではありません。「心と直感に従う勇気」なんです。なぜなら、ほとんどの人は自分の心と直感が「この方向に進め」と示唆しても、恐怖心で立ち止まってしまうからです。それを乗り越えるためには「勇気」が要る。

論理的に思考するとは、論理が要求する驚嘆すべき結論に向けて怯えずに跳躍することです。

「論理が要求する結論」のことを英語ではcorollaryと言います。日本語ではこれを一語で表す対応語がありません。僕はこの語を日本の思想家では丸山眞男の使用例しか読んだ記憶がありません。でも、これはとても重要な言葉だと思います。それがどれほど良識を逆撫でするものであっても、周囲の人の眉をひそめさせるものであっても、「これはコロラリーである」と言い切る勇気を持つこと、それが論理的に思考するということの本質だと僕は思います。

（『すばる』２０１９年７月号）

# ＡＩ時代の英語教育について

２０１８年の６月12日に東京の私学の文系教科研究会（外国語）で行った講演録が出版された。ふつうの人はあまり手に取る機会がない媒体なので、ここに採録する。

ご紹介にあずかりました。内田でございます。

一日の仕事が終わった後の、お疲れのところお集まり頂きまして、まことにありがとうございます。今、私が登壇する前に（公益財団法人東京都私学財団より外部検定試験料に関する）助成金の話がありましたけれども、実は今日もこちらに来る新幹線の車内で、「検証　迷走する英語入試」（２０１８年）という、これは岩波のブックレットですが、これを読んでおりました。帯には、「緊急出版、混乱は必至」と書いてありますけれども、多分今の日本の教員の中で本当に最も困惑しているのは中高の英語の先生だろうと思います。本当にお気の毒だと思います。

本当にどうしてこんなことになってしまったのか、僕にはよくわからないのです。みなさんにもよくわからないのではないかと思います。これから民間試験が入試に導入されるという流れになっていますけれども、どうしてこんなことが現場の英語教員たちの意向を無視して行われていくのか。誰に訊いても、よくわからないと言う。いったい、誰にとって、どんな利益があって、こんな制度改革を行うのか。

教育の目標は、子どもたちの市民的成熟を支援することに尽くされるわけですけれど、こんな制度改革で、子どもたちがどういう利益を得ることになるのか。子どもたちの知性的な成熟にこの改革がどう資するという見通しがあって、こんな改革を進めているのか、全くわからない。

今回のことに限らず、日本の外国語教育は迷走し続けています。そもそも何のために外国語を学ぶのかという根本のところについての熟慮が不足しているからです。もちろんここにいる先生たちこそ、まずそれについて考えなければいけない立場ですけれども、日々の業務から、このような猫の眼のようにくるくる変わる制度改革にキャッチアップすることに手いっぱいで、「子どもたちはどうして外国語を学ばなければいけないのか」という最も根源的な問いを深めていく余裕がない、そんな状況ではないかと思います。

## 翻訳テクノロジーの著しい進化

英語の先生たちは、余りそういう話は聞きたくないかも知れませんけれど、自動翻訳（機械翻訳）が今すごい勢いで進化しています。文科省は、オーラル・コミュニケーションが必要だ、とにかく英語で話せなければダメだとさかんに言い立てていますけれど、そんな教育政策とは無関係に翻訳テクノロジーの方はどんどん進化している。

『中央公論』（２０１７年８月号）で自動翻訳の専門家のインタビューがありました。今の自動翻訳はこれまでとシステムが違って、ただ用例を溜め込むだけでなく、「ディープ・ラーニング」ができるようになって、これまでとはまったく別物になったらしい。

英語だと、今の自動翻訳が大体ＴＯＥＩＣ６００点ぐらいまでだけれども、数年のうちに８００点になるそうです。記事の中で、自動翻訳の専門家が、だから、もう学校で英語を教える必要はなくなると言っていました。外交官とか通訳、翻訳とか、英語のニュアンスを精密に吟味する必要のある仕事では英語についての深い理解が必要だけれど、日常的なコミュニケーションについてはそんなものはもう要らない。だって、人間より機械の方が速く、正確になるから。英語の専門家は１％くらいいれば済む。後は機械に任せておけばいい、と。エンジニアらしい、いささか乱暴な議論でしたけれど、英語の先生たちはこの挑発的な発言に異論を立てる義務があると思います。小学生から英語を教える必要なんかないし、中学でも高校でも、特殊な職業をめざすもの以外には英語を教える必要がないと自動翻訳の専門家が言い切ってるんですから。

僕は毎年野沢温泉にスキーに行くのですけれど、今年も３月に野沢に行ったら、もう外国人ばかりでした。僕らが泊まった旅館も7、8割が外国の方でした。食堂に案内されたときに、座席表が外国名ばかりだったので、仲居さんに「大変ですね、英語で接客するんですか?」と訊いたら、「いいえ。私ら英語できませんから、全部Google翻訳です」とこともなげに答えられました。

僕はある禊(みそぎ)の会に入っておりまして、ときどき禊の行に行くのですけれど、4月に行ったときは、ロシア人が団体で来ておりました。聞くと驚く方が多いと思いますけれど、ロシア人も神道の禊をやる人たちがいるんですよ。モスクワにも道場があるんですが、やっぱり本場の日本で本格的に修行したいという人たちが来ているのです。このときはロシアの人とベネズエラの人が来ておりました。道場は祝詞を唱えたり、座禅を組んだりという行をしているところですから、もともと外国人の参加なんか予測していないし、もちろん外国語が堪能な人が揃っているわけではない。

来たロシア人たちは英語もあまりわからないということで、どうやって意思疎通するんだろうと心配しておりましたら、道場長が、「これがあるから大丈夫」と言って小さな機械を見せてくれました。POCKETALKという手のひらサイズの自動翻訳機械でした。まさに『ドラえもん』の「ほんやくコンニャク」でした。そこには55の言語が入っていて、ボタンを押して、日本語を言うと、外国語になって音声が出てくる。外国語音声を入力してもらうと、日本語の音声に訳される。さっそくロシア人たちとその機械で会話をしてみました。

僕はそういうガジェットに目がないので、家に帰ってすぐにAmazonで検索して、購入しました。SIMカードを入れると世界中どこでも使える。それが3万円台。仰天しました。いつの間にこんなものが……と思いました。われわれの知らないうちに、テクノロジーはどんどんと進化しているわけです。AIの「シンギュラリティ」が来ると産業構造が変わり、雇用環境が激変するとさかんに報道されていますけれど、そんな先の話ではなくて、自動化・機械化はあちこちでもう起きているわけです。

これまで英語をいやいや勉強してきた「のび太」君のような子どもたちにとって「ほんやくコンニャク」はまさに夢の機械だったわけですけれど、それが今やSIMカード付きで、3万円台で手に入る。いずれ価格競争が起きて、「ほんやくコンニャク」がコンビニで電卓程度の価格で売られる時代も来るかも知れない。電卓が普及したせいで筆算や珠算の能力に対するニーズが失われたように、自動翻訳が日常的なものになってきたら、オーラル・コミュニケーション能力を身につける必要もなくなります。よく「町で外国人にいきなり道を尋ねられたときに英語ができないと困る」というようなことを英語学習の動機づけとして語る人がいますけれど、これからはポケットから出せば済むわけですね。

今の「ほんやくコンニャク」は、まだ一度に聴き取れるセンテンスが短いですけれども、技術的な改良はこれからもどんどん進み、いずれどこでどんな外国語で話しかけられても、日本語でスムーズに対話できるようになる。『スター・ウォーズ』にすべての宇宙の言語が話せる通訳ロボットＣ－３ＰＯというのが出てきますけれど、個人用のＣ－３ＰＯをみんなが連れて歩けるようになるようなものです。

こういうところで僕がしゃべっている音声を、すぐに文字起こしして後ろのスクリーンに投影するというテクノロジーはすでに開発されています。もともとは聴覚障害者用に開発されたものです。手話通訳者がいなくても話を理解できるようにということで開発された。話し始めのうちは、技術者が文章に手を入れます。日本語は同音異義語が多いですし、人によってかなり特殊な言葉づかいをしますから、技術者がいったん文字起こしされたものを、意味が通るように修正する。でも、時間が経つと、機械が話し手の語彙や「話し癖」に慣れて、技術者が介入しなくても、機械が講演をタイムラグなしにスクリーンに映し出すようになる。僕がそのシステムを使って講演したのはもう1年半ぐらい前です。恐らく今はもっと技術が進化していると思います。

外国語教育はどうすれば効率的であるのかという話をわれわれは教育者という立場で必死にしているわけですけれど、そういうわれわれの側の努力とはまったく無関係に、科学技術は進化して、場合によっては英語教育の根幹部分についてのこれまでの工夫や議論を無効化してしまうような変化が起きている。そのことをまずみなさんにはご理解頂きたいと思います。

自動翻訳がオーラル・コミュニケーションにおける障害の多くを除去してくれるということになったら、一体何のために外国語を学ぶのか？　日本の小・中・高の英語の先生方は、「何のために英語を学ぶのか？」ということについて、今や根源的な省察を要求されています。これまではそんなことを考える必要がなかった。英語を学ぶことの必然性・有用性は自明のものだと思われていた。でも、それが揺らいできた。

僕自身は長くフランス語を勉強してきて、大学では語学の教師をしていたわけですから、「なぜ外国語を学ぶ必要があるのか」に関してはずっと考え続けてきました。特に、フランス語やドイツ語のような第二外国語については、「そんなものを学生に履修させる必要はない、そんな時間があったらもっと英語をやらせろ」というタイプの議論に何度も巻き込まれましたから、「なぜとりあえず不要不急のものであるフランス語を学ぶ必要があるのか？」という問いについてはかなり真剣に考えて来ました。

僕の結論は「どんなものであれ、外国語を学ぶことは子どもたちの知的成熟にとって必要である」ということでした。これが僕の基本的な立場です。こればかりは譲れません。「ほんやくコンニャク」ができようと、ポケットマネーで通訳が雇えようと、そんなことは全く別のレベルで、人は外国語を学ぶ必要がある。でもそれは、文科省が言っているような「英語が使える日本人をつくる」といった功利的な目的とは無関係な話です。

今日、この中に文科省の方はいらしていますか。いらしたら、自動翻訳がどのように日本の外国語教育を変えていくのかについて、これまで省内ではどういう話し合いをされてきたのかお訊ねしたいです。調査はされていますか？　実際に機械をお使いになってみたことがありますか？　今、自動翻訳がどうなっているかを知っていれば、「英語が使える日本人」養成プログラムのような、ビジネスの場面でオーラル・コミュニケーションがうまくないと、侮(あなど)られる、損をする、というようなことを英語習得の主目的に掲げているプログラムは存在そのものが無意味になるかも知れないということにもっとショックを受けていいはずなんです。でも、その気配もない。ということは、文科省の方々は自動翻訳については何もご存じないということだと思います。教育プログラムの根幹を揺るがすようなテクノロジーの進化について「何もご存じない」のだとしたら、それは教育行政を司る省庁として「あまりに不勉強」とのそしりを免れないのではないかと思います。

## 「目標文化」へアクセスする手段としての言語

外国語学習について語るときに、「目標言語」と「目標文化」という言葉があります。「目標言語」というのは、今の場合なら、例えば英語です。なぜ英語を学ぶのか。それは「目標文化」にアクセスするためです。英語の場合であれば、ふつうは英語圏の文化が「目標文化」と呼ばれます。

僕らの世代において英語の目標文化ははっきりしていました。それは端的にアメリカ文化でした。アメリカ文化にアクセスすること、それが英語学習の最も強い動機でした。われわれの世代は、子どものときからアメリカ文化の洪水の中で育っているわけですから、当然です。FENでロックンロールを聴き、ハリウッド映画を観て、アメリカのテレビドラマを観て育ったわけですから、僕らの世代においては「英語を学ぶ」というのは端的にアメリカのことをもっと知りたいということに尽くされました。僕も中学や高校で「英語好き」の人にたくさん会いましたけれど、多くはロックの歌詞や映画の台詞を聴き取りたい、アメリカの小説を原語で読みたい、そういう動機で英語を勉強していました。

僕もそうでした。英語の成績は中学生からずっとよかったのですが、僕の場合、一番役に立ったのはビートルズの歌詞の暗記でした。ビートルズのヒット曲の歌詞に含まれる単語とイディオムを片っ端から覚えたのですから、英語の点はいいはずです。

つまり、英語そのものというよりも、「英語の向こう側」にあるもの、英米の文化に対する素朴な憧れがあって、それに触れるために英語を勉強した。英米のポップ・カルチャーという「目標文化」があって、それにアクセスするための回路として英語という「目標言語」を学んだわけです。

その後、1960年代から僕はフランス語の勉強を始めるわけですけれども、このときもフランス語そのものに興味があったわけではありません。フランス語でコミュニケーションしたい人が身近にいたわけではないし、フランス語ができると就職に有利というようなこともなかった。そういう功利的な動機がないところで学び始めたのです。ただフランス文化にアクセスしたかったから。

僕が高校生から大学生の頃は、人文科学・社会科学分野での新しい学術的知見はほとんどすべてがフランスから発信された時代でした。サルトル、カミュ、メルロー＝ポンティ、レヴィ＝ストロース、バルト、フーコー、アルチュセール、ラカン、デリダ、レヴィナス……と文系の新しい学術的知見はほとんどフランス語で発信されたのです。そして、フランス語ができないとこの知的領域にはアクセスできない。当時の日本でも、『パイデイア』とか『現代思想』とか『エピステーメー』とかいう雑誌が毎月のようにフランスの最新学術についての特集を組むのですけれど、「すごいものが出て来た」と言うだけで、そこで言及されている思想家や学者たちの肝心の主著がまだ翻訳されていない。フランス語ができる学者たちだけがそれにアクセスできて、その新しい知についての「概説書」や「入門書」や「論文」を独占的に書いている。とにかくフランスではすごいことになっていて、それにキャッチアップできないともう知の世界標準に追いついてゆけないという話になっていた。でも、その「すごいこと」の中身がさっぱりわからない。フランス語が読めないと話にならない。ですから、60年代－70年代の「ウッドビー・インテリゲンチャ」の少年たちは雪崩を打つようにフランス語を学んだわけです。それが目標文化だったからです。

のちに大学の教師になってから、フランス語の語学研修の付き添いで夏休みにフランスに行くことになったとき、ある年、僕も学生にまじって、研修に参加したことがありました。振り分け試験で上級クラスに入れられたのですけれど、そのクラスで、ある日テレビの「お笑い番組」のビデオを見せて、これを聴き取れという課題が出ました。僕はその課題を拒否しました。悪いけど、僕はそういうことには全然興味がない。僕は学術的なものを読むためにフランス語を勉強してきたのであって、テレビのお笑い番組の早口のギャグを聴き取るために労力を使う気はないと申し上げた。そのときの先生は真っ赤になって怒って、「庶民の使う言葉を理解する気がないというのなら、あなたは永遠にフランス語ができるようにならないだろう」という呪いのような言葉を投げかけたのでした。結局、その呪いの通りになってしまったのですけれど、僕にとっての「目標文化」は１９４０年代から80年代にかけてのフランスの知的黄金時代のゴージャスな饗宴の末席に連なることであって、現代のフランスのテレビ・カルチャーになんか、何の興味もなかった。ただ、フランス語がぺらぺら話せるようになりたかったのなら、それも必要でしょうけれど、僕はフランスの哲学者の本を読みたくてフランス語を勉強し始めたわけですから、その目標を変えるわけにゆかない。フランス語という「目標言語」は同じでも、それを習得することを通じてどのような「目標文化」にたどりつこうとしているのかは人によって違う。そのことをそのときに思い知りました。

ロシア語もそうです。今、大学でロシア語を第二外国語で履修する学生はほとんどいません。でも、若い方はもうご存じないと思いますけれど、１９７０年に僕が大学に入学したとき、理系の学生の第二外国語で一番履修者が多かったのはロシア語でした。「スプートニク・ショック」と言われたように、60年代まではソ連が科学技術のいくつかの分野でアメリカより先を進んでいたからです。科学の最先端の情報にアクセスするためにはロシア語が必要だった。でも、ソ連が没落して、科学技術におけるアドバンテージが失われると、ロシア語を履修する理系の学生はぱたりといなくなりました。もちろんドストエフスキーを読みたい、チェーホフを読みたいというような動機でロシア語を履修する学生はいつの時代もいます。目標文化が「ロシア文学」である履修者の数はいつの時代もそれほど変化しない。けれども、目標文化が「ソ連の科学の先進性」である履修者は、その目標文化が求心力を失うと、たちまち潮が引くようにいなくなる。

僕の学生時代はフランス語履修者がたくさんおりました。でも、その後、フランス語履修者は急減しました。ある時点で中国語に抜かれて、今はもう見る影もありません。理由の一つは、日本のフランス語教員たちが学生たちの知的好奇心を掻き立てることができなかったせいなのですけれど、それ以上に本国のフランスの文化的な発信力が低下したことがあります。フランス文化そのものに日本の若者たちを「目標」として惹きつける魅力がなくなってしまった。

フランス語やロシア語の例から知れる通り、われわれが外国語を学ぶのは目標文化に近づくためなのです。目標文化にアクセスするための手段として目標言語を学ぶ。

しかし、まことに不思議なことに、今の英語教育には目標文化が存在しません。英語という目標言語だけはあるけれども、その言語を経由して、いったいどこに向かおうとしているのか。向かう先はアメリカでもイギリスでもない。カナダでもオーストラリアでもない。どこでもないのです。

何年か前に、推薦入試の入試本部で学長と並んで出願書類をチェックしていたことがありました。学長は英文学科の方だったのですけれど、出願書類の束を読み終えた後に嘆息して、「内田さん、今日の英文学科受験者150人の中に『英文学科志望理由』に『英米文学を学びたいから』と書いた人が何人いると思う？」と訊いてきました。「何人でした？」と僕が問い返すと「2人」というお答えでした。「後は、『英語を生かした職業に就きたいから』」だそうでした。

僕の知る限りでも、英語を学んで、カタールの航空会社に入った、香港のスーパーマーケットに就職した、シンガポールの銀行に入ったという話はよく聞きます。別にカタール文化や香港文化やシンガポール文化をぜひ知りたい、その本質に触れたいと思ってそういう仕事を選んだわけではないでしょう。彼らにとって、英語はたしかに目標言語なのですけれど、めざす目標文化はどこかの特定の文化圏のものではなく、グローバルな「社会的な格付け」なのです。高い年収と地位が得られるなら、どの外国でも暮らすし、どの外国でも働く、だから英語を勉強するという人の場合、これまでの外国語教育における目標文化に当たるものが存在しない。

これについては平田オリザさんが辛辣なことを言っています。彼に言わせると、日本の今の英語教育の目標は「ユニクロのシンガポール支店長を育てる教育」だそうです。「ユニクロのシンガポール支店長」はもちろん有用な仕事であり、しかるべき能力を要するし、それにふさわしい待遇を要求できるポストですけれど、それは一人いれば足りる。何百万単位で「シンガポール支店長」を「人形焼き」を叩き出すように作り出す必要はない。でも、現在の日本の英語教育がめざしているのはそういう定型です。

## 外国語を学ぶことの本義とは

僕は大学の現場を離れて7年になりますので、今の大学生の学力を知るには情報が足りないのですけれども、それでも、文科省が「英語が使える日本人」ということを言い出してから、大学に入学してくる学生たちの英語力がどんどん低下してきたことは知っています。それも当然だと思います。英語を勉強することの目標が、同学齢集団内部での格付けのためなんですから。低く査定されて資源分配において不利になることに対する恐怖をインセンティヴにして英語学習に子どもたちを向けようとしている。そんなことが成功するはずがない。

恐怖や不安を動機にして、知性が活性化するなんてことはありえないからです。

僕は中学校に入って初めて英語に触れました。それまではまったく英語を習ったことがなかった。１９６０年頃の小学生だと、学習塾に通っているのがクラスに2、３人、あとは算盤塾くらいで、小学生から英語の勉強をしている子どもなんか全然いません。ですから、ＦＥＮでロックンロールは聴いていましたけれど、ＤＪのしゃべりも、曲の歌詞も、ぜんぶ「サウンド」に過ぎず、意味としては分節されていなかった。それが中学生になるといよいよわかるようになる。入学式の前に教科書が配られます。英語の教科書を手にしたときは、これからいよいよ英語を習うのだと思って本当にわくわくしました。これまで自分にとってまったく理解不能だった言語がこれから理解可能になってゆくんですから。自分が生まれてから一度も発したことのない音韻を発声し、日本語に存在しない単語を学んで、それが使えるようになる。その期待に胸が膨らんだ。

今はどうでしょう。中学校1年生が4月に、最初の英語の授業を受けるときに、胸がわくわくどきどきして、期待で胸をはじけそうになる……というようなことはまずないんじゃないでしょうか。ほかの教科とも同じでしょうけれど、英語を通じて獲得するものが「文化」ではないことは中学生にもわかるからです。わかっているのは、英語の出来不出来で、自分たちは格付けされて、英語ができないと受験にも、就職にも不利である、就職しても出世できないということだけです。そういう世俗的で功利的な理由で英語学習を動機づけようとしている。でも、そんなもので子どもたちの学習意欲が高まるはずがない。

格付けを上げるために英語を勉強しろというのは、たしかにリアルではありません。リアルだけれども、全然わくわくしない。外国語の習得というのは、本来はおのれの母語的な枠組みを抜け出して、未知のもの、新しいものを習得してゆくプロセスのはずです。だからこそ、知性の高いパフォーマンスを要求する。自分の知的な枠組みを超え出てゆくわけですから、本当なら「清水の舞台から飛び降りる」ような覚悟が要る。そのためには、外国語を学ぶことへ期待とか向上心とか、明るくて、風通しのよい、胸がわくわくするような感じが絶対に必要なんですよ。恐怖や不安で、人間はおのれの知的な限界を超えて踏み出すことなんかできません。

でも、文科省の『「英語が使える日本人」の育成のための行動計画の策定について』にはこう書いてある。

「今日においては、経済、社会の様々な面でグローバル化が急速に進展し、人の流れ、物の流れのみならず、情報、資本などの国境を越えた移動が活発となり、国際的な相互依存関係が深まっています。それとともに、国際的な経済競争は激化し、メガコンペティションと呼ばれる状態が到来する中、これに対する果敢な挑戦が求められています。」

冒頭がこれです。まず「経済」の話から始まる。「経済競争」「メガコンペティション」というラットレース的な状況が設定されて、そこでの「果敢な挑戦」が求められている。英語教育についての基本政策が「金の話」と「競争の話」から始まる。始まるどころか全篇それしか書かれていない。

「このような状況の中、英語は、母語の異なる人々の間をつなぐ国際的共通語として最も中心的な役割を果たしており、子どもたちが21世紀を生き抜くためには、国際的共通語としての英語のコミュニケーション能力を身に付けることが不可欠です」と書いた後にこう続きます。

「現状では、日本人の多くが、英語力が十分でないために、外国人との交流において制限を受けたり、適切な評価が得られないといった事態も生じています。」

「金」と「競争」の話の次は「格付け」の話です。ここには異文化に対する好奇心も、自分たちの価値観とは異なる価値観を具えた文化に対する敬意も、何もありません。人間たちは金を求めて競争しており、その競争では英語ができることが死活的に重要で、英語力が不足していると「制限を受けたり」「適切な評価が得られない」という脅しがなされているだけです。そんなのは日本人なら誰でもすでに知っていることです。でも、「英語が使える日本人」に求められているのは「日本人なら誰でもすでに知っていること」なのです。

外国語を学ぶことの本義は、一言で言えば、「日本人なら誰でもすでに知っていること」の外部について学ぶことです。母語的な価値観の「外部」が存在するということを知ることです。自分たちの母語では記述できない、母語にはその語彙さえ存在しない思念や感情や論理が存在すると知ることです。

でも、この文科省の作文には、外国語を学ぶのは「日本人なら誰でもすでに知っていること」の檻から逃れ出るためだという発想がみじんもない。自分たちの狭隘(きょうあい)な、ローカルな価値観の「外側」について学ぶことは「国際的な相互依存関係」のうちで適切なふるまいをするために必須であるという見識さえ見られない。僕は外国語学習の動機づけとして、かつてこれほど貧しく、知性を欠いた文章を読んだことがありません。

たしかに、子どもたちを追い込んで、不安にさせて、処罰への恐怖を動機にして何か子どもたちが「やりたくないこと」を無理強いすることは可能でしょう。軍隊における新兵の訓練というのはそういうものでしたから。処罰されることへの恐怖をばねにすれば、自分の心身の限界を超えて、爆発的な力を発動させることは可能です。スパルタ的な部活の指導者は今でもそういうやり方を好んでいます。でも、それは「やりたくないこと」を無理強いさせるために開発された政治技術です。

ということは、この文科省の作文は「子どもたちは英語を学習したがっていない」という前提を採用しているということです。その上で、「いやなこと」を強制するために、「経済競争」だの「メガコンペティション」だの「適切な評価」だのという言葉で脅しをかけている。

ここには学校教育とは、一人一人の子どもたちが持っている個性的で豊かな資質が開花するのを支援するプロセスであるという発想が決定的に欠落しています。子どもたちの知性的・感性的な成熟を支援するのが学校教育でしょう。自然に個性や才能が開花してゆくことを支援する作業に、どうして恐怖や不安や脅迫が必要なんです。勉強しないと「ひどい目に遭うぞ」というようなことを教師は決して口にしてはならないと僕は思います。学ぶことは子どもたちにとって「喜び」でなければならない。学校というのは、自分の知的な限界を踏み出してゆくことは「気分のいいこと」だということを発見するための場でなければならない。

　この文章を読んでわかるのは、今の日本の英語教育において、目標言語は英語だけれど、目標文化は日本だということです。今よりもっと日本的になり、日本的価値観にがんじがらめになるために英語を勉強しなさい、と。ここにはそう書いてある。

　目標文化が日本文化であるような学習を「外国語学習」と呼ぶことに僕は賛成できません。

　僕自身はこれまでさまざまな外国語を学んできました。最初に漢文と英語を学び、それからフランス語、ヘブライ語、韓国語といろいろな外国語に手を出しました。新しい外国語を学ぶ前の高揚感が好きだからです。日本語にはない音韻を発音すること、日本語にはない単語を知ること、日本語とは違う統辞法や論理があることを知ること、それが外国語を学ぶ「甲斐（かい）」だと僕は思っています。習った外国語を使って、「メガコンペティションに果敢に挑戦」する気なんか、さらさらありません。

　外国語を学ぶ目的は、われわれとは違うしかたで世界を分節し、われわれとは違う景色を見ている人たちに想像的に共感することです。われわれとはコスモロジーが違う、価値観、美意識が違う、死生観が違う、何もかも違うような人たちがいて、その人たちから見た世界の風景がそこにある。外国語を学ぶというのは、その世界に接近してゆくことです。

フランス語でしか表現できない哲学的概念とか、ヘブライ語でしか表現できない宗教的概念とか、英語でしか表現できない感情とか、そういうものがあるんです。それを学ぶことを通じて、それと日本語との隔絶やずれをどうやって調整しようか努力することを通じて、人間は「母語の檻」から抜け出すことができる。

外国語を学ぶことの最大の目標はそれでしょう。母語的な現実、母語的な物の見方から離脱すること。母語的分節とは違う仕方で世界を見ること、母語とは違う言語で自分自身を語ること。それを経験することが外国語を学ぶことの「甲斐」だと思うのです。

でも、今の日本の英語教育は「母語の檻」からの離脱など眼中にない。それが「目標言語は英語だが、目標文化は日本だ」ということの意味です。外国語なんか別に学ぶ必要はないのだが、英語ができないとビジネスができないから、バカにされるから、だから英語をやるんだ、と。言っている本人はそれなりにリアリズムを語っているつもりでいるんでしょう。でも、現実にその結果として、日本の子どもたちの英語力は劇的に低下してきている。そりゃそうです。「ユニクロのシンガポール支店長」が「上がり」であるような英語教育を受けていたら、そもそもそんな仕事に何の興味もない子どもたちは英語をやる理由がない。

達成目標があらかじめ開示された場合に、子どもたちの学習努力は大きく殺がれます。教育のプロセスをまじめに観察したことがある人間なら、誰でもわかることです。「勉強するとこんないいことがある」とか「勉強しないとこんなひどい目に遭う」というようなことをあらかじめ子どもに開示すると、子どもたちの学習意欲はあきらかに減退する。というのは、**努力した先に得られるものが決まっていたら、子どもたちは最少の学習努力でそれを獲得しようとする**に決まっているからです。

学習の場では決して利益誘導してはならないということを理解していない人があまりに多い。でも、長く教員をやってきてこれは経験的にはっきりと申し上げられます。賞品で子どもを釣ったり、恐怖で子どもを脅したりしても子どもたちの知的な能力は**絶対**に向上しません。彼らはどうやったら最少の学習努力で目的のものを手に入れるか、そこに全力を集中するようになるだけです。

## 消費者としてふるまう学生たち

大学で最初の授業のときにオリエンテーションをやると、必ず「先生、単位をもらえる最低点は何点ですか」と「この授業は何回まで休めますか」という質問が出ます。単位をとるための最低点と最少出席回数をまず確認する。「ミニマム」を知ろうとするわけです。これは消費者マインドを持って教室に登場した学生にとっては当然の質問です。「これいくらですか？」と訊いているわけですから。

彼らにとって単位や学位や免状や資格は「商品」なんです。そして、学習努力は「貨幣」です。だから、買い物客が「この商品の価格はいくらですか？」と訊くように、「この授業で求められる最少学習努力はどの程度ですか？」を訊いてくる。

求める商品にそれなりの価値があることは彼らだってわかっているのです。でも、どんな価値のある商品であっても、一番安い価格で買うというのは消費者の権利であり義務であるわけです。特売コーナーで同じ商品が安く売られていたら、カートに入れていた商品をもとの棚に戻して、特売コーナーの同一商品をカートに入れる。それは買い物をする人間としては当たり前のことです。もとの棚がかなり遠いところであっても、ごろごろカートを押して、そこまで戻しにゆく。その手間を別に惜しいとは思わない。それが消費者です。

ですから、消費者としてふるまう学生たちの目には、出席をとらない科目、毎年同じ試験問題を出す科目、丸写しレポートでも単位をくれる科目は「特売コーナー」に置かれている商品のようなものです。「特売商品」で同じ単位がもらえるなら、そういう「楽勝科目」だけを集めて卒業単位を稼ぐのが最もクレバーな学生生活であることになる。消費者マインドが骨までしみついた学生たちは、大学に来てまで「どうすれば最も少なく学べるか」をめざして努力するようになる。

もし、書店に「３ヵ月でＴＯＥＩＣスコアが１００点上がる」という参考書があったとします。それを買おうと思って、横を見たら「１ヵ月で１００点上がる」という本があった。当然、そちらを買う。でも、その隣に、「１週間で１００点上がる」という本があった。これはもうこちらを買うしかない。でも、そのさらに横には「何もしなくても１００点上がる」という本があった。もう迷わずこれを買う。

そういうものですね。学習の達成目標が決まっていれば、あとはいかに少ない学習努力でそれを達成するかというところに知恵を使う。それが最も合理的であるということは子どもにだってわかります。ですから、学校で「勉強すると、こんないいことがある」という仕方で功利的に誘導するのは自分で足元を掘り崩しているようなものなのです。

車を買うときだって、ふつうの人は何軒もディーラーを回って、だいたい車格が同じくらいの車を値踏みして、「おたくはいくら引くの？」と訊いて回りますよね。そして、一番値引き率の高いディーラーで買う。子どもたちだって、そういう親たちのふるまいを見て育っています。一番安いところで買うためには、一日かけて何軒もディーラーを回るくらいの苦労はしても当然だということを学ぶ。だから、学校でも「最少の学習努力で教育商品を手に入れるために最大限の努力を惜しまない」という非合理な行動をするようになる。

僕が教務部長をしているときに、単位をよこせとどなり込んできた学生がいました。事情を聴くと、レポートの期限に遅れたので、担当の教師が受理してくれなかった、それで単位を落としたというのです。期限に遅れたのは、提出期限が1日前倒しになったのを知らなかったからです。先生はうっかりして、入試があって学生入構禁止の日をレポートの提出期限として指定してしまった。大学の事務からそれを指摘されて、締め切り日を1日繰り上げて、学生たちには教室でそのことを告知したのですが、その学生はその日授業に出ていなかったのでそれを知らなかった。そして、大学構内に入れない日にレポートを持ってきて、ガードマンに追い返されてしまった。その学生と親たちが教務課の窓口に来て抗議しているわけです。「レポート提出期限の変更を授業を休んだ学生全員に周知徹底するのは大学の義務だ」と言う。「ちゃんと掲示板に告知してありました」と言ったのですが「中には掲示板を見ない学生だっている。教師は欠席した学生全員にひとりひとり電話をかけて知らせるべきだった」とごねる。ついに「弁護士を立てて大学を訴える」と言い出した。

この一家のご努力には本当に感動しました。どうして教務課で騒ぎ立てることについてはこれほど努力を惜しまないのに、授業に出ることや掲示板を見ることにはこれほど努力を惜しむのか。担当の先生に出席簿を出してもらって調べたら、その学生は15週のうち6回しか出席しておりませんでした。それを知らせたら、さすがに親も引き下がりました。その学生は親には「レポート期限の変更を告知した以外の授業にはほとんど全部出席していた」と嘘をついていたのでした。

この親子は消費者マインドで学校に来る人間の典型だと思います。「最低価格で商品を手に入れる」ためにはいかなる努力も惜しまない。それが倒錯的なふるまいだということが本人にはわからないのです。教務課相手に何日もかけてタフな交渉をするより、ふつうに授業に出ていた方がずいぶん楽だし、知識も身につくので「一挙両得」ではないかと思うのですけれど、そういう計算が立たない。

親や学生だけではありません。学校にもいます。市場原理で教育を語る人間が。「学校は店舗だ。われわれが売っているのは教育サービスだ。保護者と子どもたちはクライアントだ。消費者に選好される教育商品を売るのが教育活動なのだ。だから、市場のニーズを見きわめ、ターゲットを絞って、マネジメントをしなければいけない」というようなことを言う人間が。本人はビジネスマインドで教育を語って、わかった気になっているようですけれど、頭が悪いとしか言いようがない。そんなことをしたら、学力はどんどん下がるに決まっている。

だって、彼の言う「クライアント」が求めるのは「最低の学習努力で手に入る、価値のある教育商品」なわけですから、最終的には「勉強しなくても、学校に来なくても、試験を受けなくても、レポートを書かなくても、学習努力ゼロでも学位を差し上げます」という学校を選ぶに決まっている。

最近よく「在学中に1年留学」ということを謳(うた)っている大学がありますね。大学は学生から授業料を徴収して、留学先の大学に研修費を払って、差額を手に入れる。教育活動ゼロでそれなりの授業料が入るわけですから笑いが止まらない。学生の25％が大学に来ないんですから管理コストは大幅に軽減できる。人件費も光熱費も25％節約できるし、トイレットペーパーも減らないし、校舎の床も階段も損耗しない。そのうち「だったら留学期間2年にしたらどうか」と言い出すやつがきっと出てきます。それなら教職員を50％減らすことができる。すごい人件費削減です。「それならいっそ留学3年必須にしたらどうか」と誰かが言い出し、ついには「いやそれより4年間留学必須にしたらどうか」と言い出すやつが出て来る。そうすれば大学は何も授業せず、集めた授業料を留学先の研修費に払った差額はまるごとポケットに入る。もう教職員を雇う必要もないし、キャンパスさえ要らない。教育活動を一切しないでも金が入ってくる。

そうなんです。市場原理に従うなら、大学はできるだけ教育活動にコストをかけない方が儲かる。ですから、論理的には、大学がないときに大学の利益率は最大化する。

実際に21世紀はじめに林立した株式会社立大学の中には、貸しビルに部屋を借りただけでキャンパスを持たず、専任教員を雇わずに職員に講義させ、ビデオを見せて授業に代えたりして、最少の教育コストで「大儲け」を狙ったところがありました。もちろん、すぐに潰れました。でも、経営者は「どうして市場原理に従って経営したのに失敗したのか」最後まで理解できなかっただろうと思います。

教育に市場原理を持ち込んだら、学生たちは「最少の学習努力」をめざし、学校経営者たちは「最少の教育コスト」をめざすようになる。それが当然なのです。でも、そんなものは教育ではない。

そんな基本的なことさえわからない人間たちが、教育がどうあるべきかについて論じ、政策を決定して、現場にあれこれとお門違いな命令を下して、ひどい場合は大学を経営している。それが今の日本です。学校教育が劣化するのも当たり前です。

## 競争原理がもたらす倒錯

もう一つ、申し上げておきたいことがあります。それは学校に競争原理を持ち込んではならないということです。このエピソードも何度も本に書いたことですけれど、印象的な事例なので繰り返します。

僕のゼミの学生で、学習塾でバイトをしていたものがいました。そこは学習習慣のない子どもたちのための塾で、マンツーマンで勉強を教えていた。一生懸命教えた甲斐があって、その学生が担当していた子どもがようやく学習習慣が身についてきて、教室でも長い時間机に座っていられるようになった。そして、ある日ついに塾の学習進度が学校を超えた。学校でまだ習っていない単元に進んだのです。そうしたら、その子は、学校で自分が知っていることを先生が教え始めたら、立ち上がって歌を歌い出したというのです。

　学校の先生から親に相談が行って、親から塾で担当していた学生に相談が行って、学生から僕が相談を受けて、「先生、一体この子は何のためにそんなことをしたのでしょう？」と訊かれたので、彼は彼なりに合理的な行動をとったのだと思うと答えました。

　この子はずっと学校の勉強に遅れていた。それがようやくわずかながらも級友よりも先に進んだ。このアドバンテージを維持するためには、周りの級友たちの学習を妨害するのが最も効果的である。そう考えたわけです。

　実際に、子どもたちは実に小まめに級友たちの学習妨害をしています。「学級崩壊」ということがある時点から言われ始めましたけれど、それは子どもたちが急激に反社会的になったからではなく、むしろ過度に社会化されたからではないかと僕は思っています。子どもたちは実際に合理的に行動しているのです。自分の学力を上げるための努力は自分ひとりにしかかかわらないけれど、学級崩壊はクラスメート全員の学習を妨害できる。同学齢集団内部での相対的な優劣を競うという観点から言うと、自分の学力を上げる努力よりも、周囲の学力を引き下げる努力の方が費用対効果が高い。

　昔からそういうのはありましたね。進学校だと、試験前でも「全然勉強やってないよ」と言って級友を油断させたり、試験の前日に麻雀に誘って勉強の邪魔をしたりとか、そういう「せこい」ことをやっていた。でも、今はもっとそれを組織的かつ無意識的にやっている。

競争原理的には合理的なふるまいなので誰も止めることができない。
偏差値というのがまさに競争原理がもたらした倒錯の典型です。偏差値は学力とは無関係です。あれは、同学齢集団のどの辺にいるのかという「格付け指標」です。今、偏差値70の子は、僕が中学生だった頃に連れて来たら、とてもそんな偏差値はとれないでしょう。競争相手の同学齢集団の規模が2倍以上だし、学力そのものも年ごとに低下していますから。でも、偏差値というのは集団そのものの学力が低下しても、格付け機能だけは変わらない。そういう競争に子どもたちを追い込んだら、当然子どもたちは「最少の学習努力で高い偏差値をとる方法」を工夫するようになります。そして、そのためには「集団全体の学力を下げる」のが最も効率的であるということは誰にでもわかる。

僕は神戸の住吉というところに住んでいます。近くには灘とか六甲学院といった中高一貫の進学校があります。電車に乗ると、よくそういう学校の生徒たちに会います。ついにじり寄っていって、どんな話をしているのか立ち聞きしてしまう。申し訳ないけれど、みごとなほど知的な会話をしていない。直接教科の内容にかかわることでなくてもいいのです。今だったら、「米朝会談どうなると思う」というような話をしてもいいじゃないですか。「金正恩はこれからどう出るか」とか「南北は裏で話がついていたのか」とか「ＣＩＡが絡んでいるのかね」とか、高校生だって、そういう話をしてもいいじゃないですか。「これから日本の政治はどうなるのか」とか「東京オリンピックは本当に開催できるのか」とか。自分たちのこれからにかかわることなんですから。でも、そういう話をまったくしていない。

例えば、生徒たちがそれぞれ手分けして海外のネットニュースを読んだり、本を読んだりして情報を集めて、それを共有すればいいと思うんですよね。頭のいい子たちなんだから。でも、そうやってお互いの知的リソースを富裕化するという作業はまったくしていない。おしゃべりの内容は、「そんなことを知っていても、試験の点数が1点も上がることのない話題、話し相手の知性が少しも活性化しない話題」に限定されています。もう、みごとなほど。無意識にやっているんですよ、そういうことを。同学齢集団の競争相手たちの知性が活性化することを本能的に回避しようとしている。そういうことを社会全体でやっている。学力が低下し、大学の学術的発信力が先進国最低にまで下落するのも当然なんです。

## 「成績をつけない」教育のすすめ

いったいどうすればいいのか。僕からの提案はシンプルなんです。でも、これは無理だと皆さんは言うと思います。それは「成績をつけない」ということです。成績をつけない。生徒たちを格付けしない。教えたいことがあるので教える。聞きたい人は聞いてくれ。そういう授業をする。そんなことをしたら管理職からも、親からも、生徒たち自身からも「止めてくれ」と言われると思いますけれど、日本の学校教育を蘇生させる道はそれしかないです。点数をつけない。成績をつけるのを止めれば、格付けによって資源を傾斜配分するというルールを止めれば、日本の子どもたちの学力は一気にV字回復します。それは断言してもいい。

成績をつけ、格付けをして、得点の高いものに報奨を与え、得点の低いものは処罰するというのは「微量の毒」のようなものなんです。毒もうまく使えば薬になるけれど、所詮は毒です。短期的に、一気に限界を超えさせるためには、格付けによる差別は有効です。でも、そういう無理は長続きするものじゃない。どこかで子どもたちの心身が壊れ始める。本当に自己の知的限界を超えるためには、時間がかかるんです。教師は生徒たちの学びへの意欲が起動するまで、長い時間待たなければいけない。学びに促成栽培はあり得ないんです。

同学齢集団の中で相対的な優劣を競わせるのは「促成栽培」です。農作物を育てるときに、農薬や肥料を大量に投与したり、人工的な環境で育てるのと同じです。すぐに効果は出るけれど、それは本当に力がついたわけじゃない。

学校で子どもたちが身につけるべき能力は、学校を出てから役立つものでなければ意味がありません。学校を出た後はすぐに年齢も違う、性別も違う、専門も違う人たちと共同的にかかわることになります。自分とものの考え方が違う人たちとのコラボレーションができなければ仕事になりません。同学齢集団内で相対的な優劣を競ってきた能力なんか、そういう場面では何の役にも立ちません。コラボレーションで必要なのは、汎用性の高い知的能力です。交渉力、調停力、胆力、共感力、想像力……そういうものです。だから、学校教育の本旨はそういう汎用性の高い知的能力を育ててゆくことでなければならない。それが子どもたちに本当に必要な、生きる知恵と力なんです。そういう力を高めてゆくことが、子どもたちの市民的な成熟を支援するということです。同学齢集団内の相対的な優劣を競わせて、お互いの知性が活発化するのを邪魔し合ってゆけば、子どもたちの生きる知恵と力はどんどん減退してゆく。それは今の日本の現実を見ればわかるはずです。

僕は、神戸の道場で合気道という武道を教えています。門人は今300人ぐらいです。僕のところでも段位や級は出しています。そういうものがある方が励みになるらしいから。ですから、門人たちは昇段級審査の前になると集中的に稽古をします。なんとか時間をやりくりして道場に来て、自主的に稽古をしている。そういうふうに集中的に稽古することで、ある「壁」を超えるということも現にあります。ですから、僕は段位や級を出すことの効用は認めてます。でも、それは「そういうもの」がある方が一人一人の力が伸びる確率が高いという経験知に基づいてのことです。段位の上下を比べたり、誰が早く昇段したのか、誰が遅いかというようなことは一切口にしない。別に抑制しているわけではなく、僕はそんなこと考えたこともないから。門人同士を比べて、この人の方がこの人より巧い、この人の方が強い、というようなことは考えたことがない。門人同士の相対的な優劣を比較することなんか、修業上何の意味もありません。優劣を比較する対象があるとしたら、それは「昨日の自分」だけです。「昨日の自分」と比べて「今日の自分」がどう変化したのか、それは精密に観察しなければなりません。昨日まで気づかなかったどういう感覚が芽生えたか。昨日までできなかったどういう動きができるようになったか。そこには注意を向けなければいけない。でも、同門の他人と自分を比べて、その強弱や巧拙などを論じても何の意味もない。本当に何、、、の意味もないのです。修業の妨げにしかならない。

僕の師匠は多田宏先生という方です。以前先生から「他人の技を批判してはいけない」と教えられました。僕はそのときはまだ若くて、先生の意図がよくわからなかった。口には出しませんでしたけれど、「他人の技の欠点に注目するのは有用なのではないか」と内心では思いました。先輩の技を注視して、あの人はここがよくない、あの人はここが優れている、この道場では誰それさんがやっぱり一番うまい、あの人は段位は高いが技術は劣るとか、そういうことを同門同士で論じ合ってもいいいんじゃないかと思っていたからです。それが修業の役に立つと思っていた。

たぶん僕が得心のゆかない顔をしていたからでしょう、先生は僕の方を見て、「他人の技を批判してうまくなるのなら、俺も朝から晩まで他人の技を批判しているよ」と言って笑って去っていかれた。そのときの先生の言葉が今でも心に残っています。他人と自分の間の技術の相対的な優劣など論じても、そんなことは自分の修業に何の役にも立たない。それを骨身にしみるような言葉で教えられました。

それはまさに武道修業者の基本として、澤庵禅師の『太阿記』の冒頭に掲げられている言葉です。

「蓋し兵法者は、勝負を争わず、強弱に拘らず、一歩を出でず、一歩を退かず、敵、我を見ず、我、敵を見ず、天地未分陰陽不到の処に徹して直ちに功を得べし」

兵法者の心得として、まず勝負を争わないこと、強弱にこだわらないことと書いてあります。修業の第一原則がこれなんです。相対的な優劣にこだわってはならない。それは自分の力を高めていく上で必ず邪魔になる。勝てば慢心するし、負けたら落ち込む。そんなことは修業にとって何の意味もありません。修業というのは、毎日淡々と、呼吸をするように、食事をしたり、眠ったりするのと同じように、自然に、エンドレスに行うことが肝要なのです。だから、修業には目標というものがありません。

スポーツの場合だと、試合というものがあります。ある場所、ある時点に能力のピークが来るように設定して、それが終わったら、しばらく使い物にならないというようなことが許される。それは試合がいつどこでどういう形態で行われるか事前に開示されているからです。でも、武道が涵養している能力はそういうものではない。どんな危機的局面に際会しても、適切にふるまって、生き延びる力です。その語義からして、「危機」とは、それが何であって、いつどこで遭遇するかわからないものです。天変地異でも、テロでも、パンデミックでも、ゴジラ来襲でも、どんな状況でも適切に対応できる力を「兵法者」は修業する。それは試合に合わせて「ピーク」を設定するとか、ライバルとの相対的な優劣について査定したり、成績をつけたり、それに基づいて資源分配するということとはまったく別の活動です。

われわれは子どもたちを格付けして資源分配をするために教育をしているのか、それとも子どもたち一人一人のうちの生きる知恵と力を育てるために教育しているのか、そんなことは考えるまでもないことです。そして、一人一人の生きる知恵と力を高めるためには他人と比べて優劣を論じることには何の意味もありません。まったく、何の意味もないのです。有害なだけです。でも、現在の学校教育ではそれができない。全級一斉で授業をするという縛りがありますから、一人一人をそれほど丹念に観察できないというのはわかります。でも、授業を子どもたちの査定や格付けのために行うことについてはもっと痛みを感じて欲しいと思います。それは本当は学校でやってはいけないことなんです。

「日本の学校教育をよくする方法がありますか」とよく聞かれます。ですから、僕の答えはいつも同じです。「成績をつけないこと」です。でも、それを言うと、教員たちはみんな困った顔をするか、あるいは失笑します。「それができたら苦労はないですよ」とおっしゃる。でも、本当にそれほど「それができたら苦労はない」ことなんでしょうか。

僕は現に武道の道場という教育機関を主宰していて、そこでは「成績をつけない。門人たちの相対的な優劣に決して言及しない」ということをルールにしていますが、実に効率的に門人たちは力をつけて、ぐいぐいと伸びています。道場では査定ということをしない。寺子屋ゼミという教育活動も並行して行っていますけれど、ここでも研究発表の個別的な出来不出来についてはかなりきびしいコメントをすることもありますけれど、ゼミ生同士の優劣について論じることは絶対にしません。

どうして教育の場で、教わる者たちは、指導者によって査定され、格付けされ、それに基づいて処遇の良否が決まるということが教育にとって「当然」だと信じられるのか、僕にはそれがわかりません。明らかにそれは教育にとって有害無益なことです。それは40年近く教育という事業に携わってきた者として確信を持って断言できます。

## 市場原理で限りなく劣化する領域

僕は、一昨日に千葉の保険医たちの集会に呼ばれてお話をしてきました。懇親会で隣にいた保険医の方から「医療と市場原理はどうしてもなじまないのですけれども、どうしたらいいでしょう」と訊かれました。その質問には「苦しんでください」と答えました。にべもない答えだったとは思いますけれど、仕方がないのです。医療と市場原理は並立しないからです。並立しないものを並立させようとしているのだから、苦しむ以外にない。

　医療というのは、医療を求める全ての人に、分け隔てなく、最高の質の医療を、ごくリーズナブルな代価で、できれば無償で提供することを理想としています。そういう仕組みを作ることが医療の理想なわけですけれども、市場原理の中では、そうはゆかない。市場原理に即して考えると、医療は医師の技術・医療機器・医薬品・看護介護のサービスという「商品」として仮象する。だから、需給関係に従って、その「商品」に一番高い値を付ける人が所有することができる。アメリカはもうそうなっています。医療は貨幣で買うものだと思われている。だから、お金を持っている人は最高の医療技術を享受できるけれど、貧困層は最低レベルの医療しか受けられない。富裕層は金に糸目をつけずに最高の医療スタッフを「侍医」として雇用することができるけれど、保険医療しか受けられない患者は、最低の医師、最低の看護師、最低の医療設備の病院にしか行けない。そのような最低の治療さえ受けられない人もいる。

　でも、本来、医療というのはそういうものであってはいいはずがない。「ヒポクラテスの誓い」というのは古代ギリシャの医療人の誓いで、今でもアメリカの医学部卒業式ではこの誓言をするはずですけれども、そこには「患者が自由人であろうと奴隷であろうと医療内容を変えてはならない」と謳ってあります。最古の医療倫理が「患者の個人的属性に従って医療内容を変えてはならない」ということなのですが、そのヒポクラテスの倫理がもう守られていない。

これはヒポクラテスの誓いの方が正しくて、市場原理の方が間違っているのです。だから、「どうしたらいいでしょうか」と訊かれても「苦しんでください」としか言いようがない。

医療の理想は実現することが難しい。かといって市場原理に従ってゆけば、超富裕層が医療資源を独占して、貧しい者は医療の恩恵を受けられないという古代ギリシャ時代以前の未開社会にまで退化してしまう。市場原理に委ねるとある種の領域で制度は限りなく劣化するという平明な事実を直視すべきなんです。

それは、教育も同じです。われわれの共同体を担っていく次世代の若者たちの知性的な、感性的な、そして、霊性的な成熟を支援することが教育本来の目的です。ヒポクラテスの誓いと同じく、本来であればすべての集団の、すべての子どもたちに同じ質の教育機会が与えられるべきです。だから「義務教育」なんです。集団には次世代を教育する義務が課されている。

何万年も前の小さな集団で暮らしている太古の時代から、子どもたちがある年齢に達したら、年長者たちが子どもたちを集めて、「生きる技術」を教えました。狩猟の仕方とか、農耕の仕方とか、魚の獲り方とかを教えた。そういう技術を学ばないと子どもたちは生き延びることができず、集団が消滅してしまうからです。集団を存続させるためには、子どもたちに、ある年齢に達したら「生き延びるための知識と技術」を教え込む。それが教育です。

教育する主体は集団なのです。そして、教育の受益者も集団なのです。集団が存続していくというしかたで集団が受益する。でも、今の教育では、子どもたちは消費者として「教育商品」を購入している気でいます。高い学歴を持ち、ハイエンドな資格とか免状を持っていたら、社会的地位が上がり、年収も上がり、威信も享受できる。だから、教育は商品だ、と。よい教育を受けたいというのは、よい洋服が欲しい、よい時計が欲しい、よい車が欲しいというのと同じだ、と。そういうものは自分の身を飾るものなのだから、自分の財布から金を出して買え、と。どうして税金を投じて、すべての子どもたちに公教育を施さなければいけないのか、意味がわからないという人が現にいくらでもいます。

でも、何度でも申し上げます。教育は買い物とは違います。教育は集団の義務なんです。教育の受益者は子どもたち個人ではなく、共同体そのものです。共同体がこれからも継続して、人々が健康で文化的な生活ができるように、われわれは子どもを教育する。

でも、市場原理を持ち込んでくると、この筋目が見えなくなってしまう。市場原理では、教育する主体は先生たち個人だとみなされる。集団ではないのです。教員個人の「教育力」なるものが数値的に表示されて、それに対して報奨や処罰が用意される。高い教育力を持つ教員個人が高い格付けを受けて、高い給与や地位を約束される。教育力の低い教員は低い格付けを受けて、冷遇される。それと同じように、教育を受けたことの利益は個人にのみ帰属する。知識も技術も、自分がその後、他の同胞たちよりも高い地位に就き、高い年収を得るために、排他的に利用される。それがフェアネスだと信じている人が現代日本ではマジョリティを占めている。

教育するものからも、教育を受けるものからも、「共同的」という本来の契機がまったく脱落したのが、現在の教育です。教育活動は個人のではなく、集団の営みであるということを理解していない教員さえたくさんいます。

大事なことなので、何度でも申し上げますけれど、教育の主体は集団です。教育は集団で行うものであり、教育を受けるのは個人ですけれど、その個人の活動から受益するのは集団です。「ファカルティー（faculty）」というのは「教師団」という意味です。教育活動を行うのは「ファカルティー」であって、教員個人ではありません。「ファカルティー」というのは、同じ学校で、同じ学期に、職員室で机を並べて仕事をしている同僚たちだけのことではありません。今教えている子どもたちがこれまで就いて学んできたすべての教師たち、子どもたちの周りにいたすべての年長者たちと共に、われわれは「ファカルティー」を形成している。僕たちは、僕たちに先行する教師たち・年長者たちからいわば送り出され、手渡された子どもたちを受け取り、自分たちに教えられることを教え、それを次の教師たちに「パス」してゆく。そのすべての大人たちが「ファカルティー」を形成している。

僕が神戸女学院大学に在職していた頃の話です。あの学校は同窓会の結束が固くて、卒業生がしばしば遺産を学校に贈与してくれます。部長会の席で、亡くなった卒業生から遺言で学校宛てに何千万円のご寄贈がありましたということを経理部長がしばしば報告してくれました。それを聞く度に、「ありがたいことだ」と思いながら、微妙に気持ちが片づかなかった。85歳ぐらいで亡くなった卒業生からの遺産贈与だとすると、その人が神戸女学院に通っていたのは、今からもう70年ぐらい前なわけです。70年前ぐらいに受けた教育に対する感謝の気持ちを遺産として遺してくださったわけですけれど、僕たちはもうその人を教えた先生たちの顔も名前も知らない。みなさん、とっくにお亡くなりになっている。その人たちが行ったすばらしい教育への感謝の気持ちとして遺産贈与があるのだけれど、今この学校で働いている教員たちに、果たしてそれを受け取る資格はあるのか、そう考えてしまったのです。だから、片づかない気持ちがした。

でも、しばらく考えて、これはやっぱり受け取っていいのだと思うようになりました。というのは、僕が今ここで必死に教育を行って、そのおかげでそれから後の人生が豊かなものになったと思ってくれた卒業生が、仮に今から70年後に神戸女学院に対して遺産を寄贈してくれたとします。その場合、遺産を受け取ることになった教員たちは、僕たちのことなんかもう覚えていないわけです。名前も知らないし、何を教えたのかも知らない。でも、もしそういうことがあったら、70年後の教師たちにはその遺産を喜んで受け取って欲しいと思います。というのは、教育活動というのは、「ファカルティー」が行うものだからです。70年前にここで教えた人たち、70年後にここで教える人たち、もう死んでしまった教師たち、まだ生まれてもいない教師たち、彼らと僕たちは一つの「ファカルティー」を形成している。150年にわたってこの学校で教えた、これから教えることになるすべての教師たちと共に僕は「ファカルティー」を形成している。卒業生の感謝の気持ちはたまたまその事案が発生したときに在職していた教職員が受け取るのではなくて、「ファカルティー」が受け取るのです。

教育の主体は集団である、教育は集団的な事業であるというのはそのことです。「教師団」には、今この学校で一緒に働いている人々だけではなく、過去の教師たちも未来の教師たちも含まれている。そういう広々とした時間と空間の中で、教育活動は行われている。そして、そういうような時代を超えた集団的活動が可能なのは、教育事業の究極の目的が「われわれの共同体の存続」をめざすものだからです。

だから、教育政策の適否を計る基準は一つしかないと僕は思っています。それはその政策を実行することが子どもたちの市民的成熟に資するかどうか、それだけです。市民的成熟に資することであればよい。市民的成熟に関係のないこと、それを阻むものは教育の場に入り込ませてはいけない。それだけです。そういう基準で教育政策の適否を判定したら、今の文科省が主導している教育政策のほとんどは、子どもたちの市民的成熟にまったく何の関係もない、むしろそれを阻害するものだということがわかると思います。でも、そういうまっとうな基準で教育政策の適否を判定する習慣をわれわれは失って久しい。それが現在の日本の教育の混乱と退廃をもたらしている。

## オーラル・コミュニケーション偏重について

では、どうしたらいいのかと。まだもう少し話す時間が残っているようですから、ちょっとだけ話します。大した知恵がなくて、できないことばかり言って本当に申しわけないのですが、一つは、保険医の方に言ったのと同じで、「とにかく苦しんでください」ということです。そして、先ほども言ったように、できることなら成績をつけないでもらいたい。成績をつけてもそれほど教育活動が阻害されない教科もあるかも知れませんが、できればどの教科でも何とか成績をつけないで進めて頂きたい。カリキュラムのどこかに、子どもたちが誰とも競争しないで済む時間帯を設けて欲しい。昨日の自分と今日の自分の変化を自分ひとりで観察する。そのような学びの場を何とか立ち上げて頂きたいと思います。

もう一つ、今は英語教育にとりわけ中等教育では教育資源が偏ってきています。他の教科はいいから、とにかく英語をやれという圧力が強まっています。別にそれは英語の教員たちが望んだことではないのだけれど、教育資源が英語に偏っている。特に、オーラル・コミュニケーション能力の開発に偏っている。何でこんなに急激にオーラルに偏ってきたかというと、やはりこれは日本がアメリカの属国だということを抜きには説明がつかない。「グローバル・コミュニケーション」と言っても、オーラルだけが重視されて、読む力、特に複雑なテクストを読む能力はないがしろにされている。これは植民地の言語教育の基本です。

植民地では、子どもたちに読む力、書く力などは要求されません。オーラルだけできればいい。読み書きはいい。文法も要らない。古典を読む必要もない。要するに、植民地宗主国民の命令を聴いて、それを理解できればそれで十分である、と。それ以上の言語運用能力は不要である。理由は簡単です。オーラル・コミュニケーションの場においては、ネイティヴ・スピーカーがつねに圧倒的なアドバンテージを有するからです。100％ネイティヴが勝つ。「勝つ」というのは変な言い方ですけれども、オーラル・コミュニケーションの場では、ネイティヴにはノン・ネイティヴの話を遮断し、その発言をリジェクトする権利が与えられています。ノン・ネイティヴがどれほど真剣に、情理を尽くして話していても、ネイティヴはその話の腰を折って「その単語はそんなふうには発音しない」「われわれはそういう言い方をしない」と言って、話し相手の知的劣位性を思い知らせることができる。

逆に、植民地原住民にはテクストを読む力はできるだけつけさせないようにする。うっかり読む力が身につくと、植民地の賢い子どもたちは、宗主国の植民地官僚が読まないような古典を読み、彼らが理解できないような知識や教養を身につける「リスク」があるからです。植民地の子どもが無教養な宗主国の大人に向かってすらすらとシェークスピアを引用したりして、宗主国民の知的優越性を脅かすということは何があっても避けなければならない。だから、読む力はつねに話す力よりも劣位に置かれる。「難しい英語の本なんか読めても仕方がない。それより日常会話だ」というようなことを平然と言い放つ人がいますけれど、これは骨の髄まで「植民地人根性」がしみこんだ人間の言い草です。「本を読む」というのはその国の文化的な本質を理解する上では最も効率的で確実な方法です。でも、植民地支配者たちは自分たちの文化的な本質を植民地原住民に理解されたくなんかない。だから、原住民には、法律文書や契約書を読む以上の読解力は求めない。

今の日本の英語教育がオーラルに偏って、英語の古典、哲学や文学や歴史の書物を読む力を全く求めなくなった理由の一つは「アメリカという宗主国」の知的アドバンテージを恒久化するためです。だから、アメリカ人は日本人が英語がぺらぺら話せるようになることは強く求めていますけれど、日本の子どもたちがアメリカの歴史を学んだり、アメリカの政治構造を理解したり、アメリカの文学に精通したりすること、それによってアメリカ人が何を考えているのか、何を欲望し、何を恐れているのかを知ることは全く望んでいません。

**言語は政治的なものです**。オーラル・コミュニケーションはとりわけ政治的な力の差が際立つところです。一方が母語で話し、一方が後天的に学習した外国語で話して、そこで議論する、対話する、合意形成するということがどれほどアンフェアで、不合理なことか。英語が国際的共通語であるのは、英米が2世紀にわたって世界の覇権国家であったからです。それだけの理由です。だから、英語圏の人々は母語を話せば国際会議で議論でき、国際学会で発表できる。われわれ非英語圏の人間は、英語学習のために膨大な時間と手間をかけなければならない。それは計り知れないハンディキャップを課されているということです。超大国の覇権が恒久化されるように、言語状況そのものが設計されている。それは冷厳な歴史的事実なわけですから仕方がないことです。でも、「アンフェアだ」ということは言い続ける必要がある。

もう一つオーラル・コミュニケーションが重要視されるのは、オーラルだと、その出自が一瞬で判定できるからです。ネイティヴ・スピーカーなのか、長くその英語圏の国で暮らして身につけた英語なのか、日本の学校で日本人に習った英語なのか、一瞬でわかる。これを verbal distinction と言います。「言語による差別化」です。映画『マイ・フェア・レディ』の原作はバーナード・ショーの『ピグマリオン』という戯曲ですが、映画でも戯曲でも、テーマはこの「言語による差別化」でした。

映画の冒頭に、ヘンリー・ヒギンズ教授が、オペラハウスの前で、見知らぬ人に向かって、「あなたはどこの出身だ、職業は何だ」と次々と言い当てて気味悪がられるという場面があります。ヒギンズ教授は音声学の専門家ですから、一言聞いただけで、その人の出身地も階層も職業も学歴もことごとく言い当てることができる。でも、ヒギンズ教授はその能力を誇ってそうしているわけではないのです。イギリスでは、誰もが口を開いた瞬間に所属階級がわかってしまう。そういうかたちで「差別」が自動的に行われている。教授はそれはよくないことだと考えているのです。そして、自分はこのような「言語による差別化」を廃絶して、すべての人間が「美しい英語」を話す社会を実現するために研究をしているのだ、と語るのです。そこに花売り娘のイライザがあらわれて、すさまじいコックニーで話し始める。そこからご存じの物語が始まる。

でも、今日本で行われているオーラル中心の英語教育は、このときのヒギンズ教授の悲願とは、まったく逆方向を目指しています。一言しゃべった瞬間に、オーラル・コミュニケーション能力が格付けできるシステムを構築しようとしている。これはまさに植民地の言語政策以外の何物でもない。

植民地英語を教えようとしている人たちの言うことはよく似ています。文法を教えるな、古典を読ませるな、そんなのは時間の無駄だ。それよりビジネスにすぐ使えるオーラルを教えろ、法律文書と契約書が読める読解力以上のものは要らない。そう言い立てる。それが植民地の言語政策そのままだということ、自分たちの知的劣位性を固定化することだということに気が付いていない。

植民地的な言語教育の帰結は、母語によっては自分の言いたいことを十分に表現できなくなるということです。フィリピンは現地語のタガログ語がありますけれども、旧植民地ですから、宗主国の言語である英語ができないと、官僚にもビジネスマンにも教師にもなれない。

それは、生活言語であるタガログ語では、ビジネストークもできないし、政治・経済についても、学術についても語れないからです。母語にはそのための語彙がない。ある程度知的な情報を含む会話をするためには、英語を使うしかない。「フィリピンの人は英語がうまくて羨ましい」というようなことを無思慮に言う人がいますけれど、フィリピン人が英語に堪能なのは、アメリカの植民地であり、母語を豊かなものにする機会を制度的に奪われていたからです。その歴史も知らないで、「なぜフィリピンの人はあんなに英語がうまいのに、日本人はダメなんだ」というようなことを言っている。そして、「そうだ。日本をアメリカの植民地にしてしまえば、日本人は英語が堪能になるに違いない」と本気で思っている。

　母語を豊かなものにするというのは、あらゆる言語集団にとっての悲願です。というのは、すべての知的イノベーションは母語で行われるからです。先ほどは「母語の檻」からどうやって離脱するかというようなことを言っていたのに、話が違うではないかと思われる方もおられるでしょうけれど、そういうものなのです。すべてのものには裏表がある。いいところもあれば、悪いところもある。外国語を習得するというのは「母語の檻」から出て知的なブレークスルーを遂げる貴重な機会なのですけれど、私たちは他の誰にもできないような種類の知的なイノベーションを果たすためには、それと同時に母語のうちに深く深く分け入ってゆくことが必要なのです。本当に前代未聞のアイディアというのは母語によってしか着想されないからです。

## 母語こそが生む〈新語・新概念〉

僕はおととし池澤夏樹さん個人編集の「日本文学全集」(河出書房新社)で、『徒然草』の現代語訳をやりました。高橋源一郎さんが『方丈記』、酒井順子さんが『枕草子』を訳して、僕が『徒然草』というラインナップの巻です。池澤さんから依頼があったときに、『徒然草』なんて大学入試のときから読んでないので、できるかなと思ったのですが、とにかく引き受けて、古語辞典を片手に1年かけて訳しました。

やってみたら、結構訳せました。『徒然草』は800年前の古典なんですけれど、なんとか訳せた。そして、こういう言語的状況というのは、他の東アジアの諸国にはちょっと見られないんじゃないかなと思いました。古典を専門にしているわけでもない現代人が辞書一冊片手に古典を読んで、訳せるというようなことは中国でも、韓国でも、ベトナムでも、インドネシアでも、まず見ることのできない景色だと思います。

どうしてそんなことが可能なのか。それは日本語が大きな変化をこうむっていないからです。明治維新後に、欧米から最新の学術的な概念とか政治や経済の概念が輸入されましたけれど、テクニカルタームを加藤弘之、西周、中江兆民、福沢諭吉といった人たちが片っ端から全部漢字二語に訳してしまった。natureを「自然」と訳し、societyを「社会」と訳し、

individualを「個人」と訳し、philosophyを「哲学」と訳し……というふうにすべて漢字二字熟語に置き換えた。これはたいした力業だったと思います。

こういうことができたのも、日本列島の土着語に中国から漢字が入って来たときも、現地語を廃して、外来語を採用するということをせず、土着語の上に外来語を「トッピング」して、ハイブリッド言語を作ることで解決した経験があったからです。昔は「やまとことば」の上に中国語をトッピングして日本語を作った。ひらがなもカタカナも漢字から作った。明治になったら、今度は欧米由来の概念を漢訳して、それを在来の母語の上にトッピングして新しい日本語を作った。日本語はこういうことができる言語なんです。そのおかげで、日本は短期間に近代化を遂げることができた。

中国の近代化が遅れた理由の一つは、欧米の言語を音訳したからです。中国語そのものを変えることを望まなかった。欧米の単語を漢訳して、新しい語を作るということは、中国語には存在しない概念が中国の外には存在することを認めるということです。これは世界の中心は中国であり、すべての文化的価値は中国を源泉として、四囲に流出しているのだという「中華思想」になじまない。だから翻訳しないで、そのまま音訳して中国語の言語体系に「トランジット」での滞在を認めただけで、言語そのものの改定を忌避した。

孫文はルソーの『民約論』を参考にして辛亥革命の革命綱領を起案したそうですけれど、孫文が用いたのは中江兆民の漢訳でした。兆民はフランス語から和訳と漢訳を同時に行ったのです。そういうことができた。土着語に漢語を載せるのも、土着語に欧米語を載せるのも、プロセスとしては同じことだったからです。

漱石も鷗外も荷風も、明治の知識人は漢籍に造詣が深かった。漱石は二松学舎で漢学を学んだあと英語に転じます。漱石がイギリス文学と出会っても、それに呑み込まれることがなかったのは、英文学のカウンターパートに相当する深みのある文学的なアーカイブが自分の中にすでに存在していたからです。すでに豊かな言語的資源を自分の中に持っていたからこそ、自在に新しい外国語に接することができた。だから、外国語を学ぶことと並行して、母語を深く学ぶ必要がある。そうしないと外国語に呑み込まれてしまう。知的なイノベーションで大きなハンディを背負うことになります。

ネオロジスム（新語）を作ることができるのは母語においてだけです。後天的に習得した外国語では新語や新しい概念を作ることはできません。僕が英語やフランス語で、勝手に新しい言葉を作っても、相手には全然通じない。I went というのは不規則変化で面倒だから、これからは I goed にしようと提案しても、英語話者は誰も相手にしてくれない。言っても鼻先で笑われるだけです。

でも、母語の場合だったら、「そんな言葉はない」「そんな意味はない」というかたちで新語が否定されることはない。だって、通じてしまうから。誰かが言い出した新語の意味がわかると、次は自分がそれを使い始める。ある人が、ふっとネオロジスムを思いついた時点で、それは潜在的には日本語のボキャブラリーにすでに登録されているのです。

前に温泉に行ったときに、露天風呂に入っていたら、あとから若い学生が二人入って来て、湯に浸かると同時に「やべ〜」と呟いたことがありました。もう10年近く前でしょうか。そのときに「ああ、そうか。『やばい』というのは、『大変気持ちがいい』という新しい語義を加えたのだな」とわかりました。実際に今出ている国語辞典には「最高である、すごくいい」という新しい語義がすでに加筆されております。

「やばい」はもとからある語に新しい語義が加わった事例ですけれど、「真逆」というのは新語です。最初に聴いたのは高橋源一郎さんとしゃべっているときでした。「まぎゃく」という音を聞いただけで「真逆」という文字が自動的に脳裏に浮かびましたし、「正反対」の強い表現だということもわかりました。説明されなくても、わかる。

よく考えたら、これはすごいことですよね。新語や、新概念は発語された瞬間に、母語話者にはそれが何を意味するかがわかるのです。それは新語、新概念というのが、個人の思い付きではなくて、母語の深いアーカイブの底から泡のように浮かび上がってきたものだからです。最初にそれを口にした人はその「泡」をすくい上げて言葉にしたのです。創造したわけじゃない。だから、母語話者にはその意味がすぐわかる。

イノベーションというのは新語、新概念を創造することです。新しい言葉が、誰も聴いたことのない新しい言葉であるにもかかわらず、発語された時点ですでに母語において「受肉」している。だから、「あ、そういうことね」と理解される。「それって、これまで誰も言ったことがないことだね」と理解される。変な話ですよね。新しい言葉が「これまで誰も言ったことのない言葉」として、その意味も用法もセットで受け容れられるんですから。母語ならそれができる。そして、外国語では、できない。

だから、本当に新しいものを発明しようと思ったら、われわれが作り出したものが世界標準になるとしたら、それは母語における新語というかたちで潜在的にはすでに語彙に登録されたかたちで登場してくるのです。

母語のアーカイブはそれだけ豊かだということです。日本の古語はある種の外国語なわけですけれど、少し読み慣れると、すぐにニュアンスがわかるようになる。古典を読んでゆくと、1000年前、500年前の日本人に世界がどう見えていたのか、彼らがどのようなコスモロジーのうちで生きていたのかが追体験される。これもやはり「母語的現実」からの離脱の経験であるわけです。

ただ、古典を学ぶというのと、英語を学ぶというのはぜんぜん異質の経験です。古典といっても日本語です。僕たちが今使っている現代日本語は、この古語から生まれて来た無数の「新語」の蓄積で出来ている。もとはと言えば、すべての日本語はこの古語のアーカイブのうちに起源を持っている。そこから浮かんできた「泡」の集大成が現代日本語なんです。吉田兼好を800年前からタイムマシンに乗せて現代に連れてきても、たぶん1月くらいで現代日本語をだいたい理解できるようになると思います。同じ生地で出来ているんですからわからないはずがない。

古典はある種の外国語であるにもかかわらず、その習得が異常に簡単です。なぜなら、知らないはずの単語や言い回しの意味が「なぜかわかる」から。『徒然草』で面白かったのは、『徒然草』の専門家の方からメールを頂いて、「訳文が正確だ」とほめて頂いたことです。特に係り結びの訳し分けがよかったと書いてありました。僕は係り結びにいくつもの意味の違いがあって、それは厳密には訳し分けないといけないということを知らなかったので、びっくりしました。文法規則を知らなかったのに、正しく訳せてしまった。そういうことが起きるのは、それが日本語で書かれていたからですね。

自国語の古典をまず学ぶこと。アクセスしやすい外国語をまず学んで、異なる言語形式で世界を分節する人たちの思念や感情を想像的に追体験すること。これはそれから後に外国語を学ぶ基礎としてとても有用な経験になるだろうと思います。

## 日本語アーカイブの創造性

1960年代はじめに、江藤淳がプリンストン大学に留学したことがあります。江藤はプリンストンで日本文学を講じていました。英語で授業をやり、英語で論文を書いて、途中から夢も英語でみるようになったそうです。けれども、帰ってきた後に、新しいものを作ろうと思ったら、日本語で考えるしかないと思うようになった。思考がかたちをなす前の星雲状態にまで遡ることができるのは母語においてだけだからというのです。

「思考が形をなす前の淵に澱むものは、私の場合あくまでも日本語でしかない。語学力は習慣と努力によってより完全なものに近づけられるかも知れない。（…）しかし、言葉は、いったんこの『沈黙』から切りはなされてしまえば、厳密には文学の用をなさない。なぜなら、この『沈黙』とは結局、私がそれを通じて現に共生している死者たちの世界——日本語がつくりあげて来た文化の堆積につながる回路だからである。」（『近代以前』文藝春秋、一九八五年）

われわれが使っている日本語のアーカイブのうちには、これまで日本列島に住み、言語を語ってきたすべての人々の記憶と経験が蓄積されていて、「淵」のようなものをかたちづくっている。この「淵」からしか、新しい言語的な創造を汲み出すことはできない。

江藤はこの母語のアーカイブのことを「沈黙の言語」と呼びます。かつて同じ言語を語ったすべての死者たちから遺贈された言語経験の総体、その「淵」に立つことによって初めて文学的な創造ができるのだ、と。

これとほとんど同じことを村上春樹も書いています。村上春樹はアメリカやイギリスやイタリアやギリシャや、世界中で暮らしていて、最後にプリンストンで河合隼雄さんと出会い、それが一つのきっかけになって日本に帰ってくるのですけれども、江藤淳と非常に似たことを言っています。

「どうしてだかわからないけれど、『そろそろ日本に帰らなくちゃなあ』と思ったんです。最後はほんとうに帰りたくなりました。とくに何かが懐かしいというのでもないし、文化的な日本回帰というのでもないのですが、やっぱり小説家としての自分のあるべき場所は日本なんだな、と思った。

というのは、日本語でものを書くというのは、結局、思考システムとしては日本語なんです。日本語自体は日本で生み出されたものだから、日本というものと分離不可能なんですね。そしてどう転んでも、やはりぼくは英語で小説は、物語は書けない、それが実感としてひしひしとわかってきた、ということですね。」(『村上春樹、河合隼雄に会いにいく』岩波書店、1996年)

村上さんはデビュー作『風の歌を聴け』を最初は英語で書いて、それを自分で日本語に訳すというかたちで書き出したそうです。それがあの独特の文体の原型になった。でも、村上春樹さんも最終的には世界文学になるためには日本語の「淵」に立ち戻ってきた。その消息は河合隼雄さんとの次のやりとりから窺えます。

「**村上**　あの源氏物語の中にある超自然性というのは、現実の一部として存在したものなんでしょうかね。

**河合**　どういう超自然性ですか?

**村上**　つまり怨霊とか……。

**河合**　あんなのはまったく現実だとぼくは思います。

**村上**　物語の装置としてではなく、もう完全に現実の一部としてあった?

**河合**　ええ、もう全部あったことだと思いますね。だから、装置として書いたのではないと思います。」(『村上春樹、河合隼雄に会いにいく』)

河合隼雄さんはこのときに『源氏物語』に出て来る六条御息所の生霊は文学的虚構ではなくて、平安時代の人たちにとってはありありとした現実だったと断定するわけです。そのような物語的現実の中で人間は生き死にしているのだ、と。それを聞いて村上さんはそれ以外の外国語では文学的虚構でしかないものが、母語のうちでは現実としてありありと顕現することがあり得るということに深く納得する。現実を創り出すのは、それを語る言語である。だから、本当に「世界のここにしかないもの」を創造しようと望むなら、自分の母語のうちに立ち返るしかない、村上春樹はそう考えた。江藤淳が日本語の「淵」に立ち返ろうと思って日本語に帰ったのと、これは同型的なふるまいだろうと僕は思います。

本当に創造的なもの、本当に「ここにしかないもの」は、母語のアーカイブから汲み出すしかない。ですから、どれだけ深く母語のうちに沈み込んでゆくかということと、母語をどうやってより豊かなものにするかということが、同時に文学者の課題になるわけです。それこそがそれぞれの国や地域の文化の質を高めるためにまずなすべきことなのです。

でも、今の日本では、母語に深く沈潜することも、母語を豊饒化することも、教育的課題としてはまず語られることがありません。日本人が日本語によってしか表現できないような新しい概念なり理説なりをどのように提示して、それを世界標準たらしめるのか。それを人類全体の知的資源に登録して、人間の文明をより多様なもの、より豊かなものにしてゆくことにどうやって貢献できるのか。そういう議論を教育論の中で聴くことはまったくありません。

母語の過去に遡ること、母語の深みに沈み込んでゆくこと、これが創造において決定的に重要なことなのです。これもまた僕たちが日常的に囚われている「現代日本語の檻」から離脱するための重要な手立てであるのです。

村上春樹の話ばかりになりますけれど、村上さんはエッセイの中で、はっきりと自分は上田秋成の後継者をめざすと書いています。「雨月物語」と村上文学は直接に繋がっている、と。

明治時代の自然主義文学があるけれど、自分は近代文学の文学史的系譜とは無関係であって、上田秋成からダイレクトに繋がっている、と。

まことに奇妙な符合なのですが、上田秋成と現代文学を繋がなければならないということを江藤淳も書いているのです。30年以上の隔たりがありながら、江藤淳と村上春樹がともにアメリカから帰ってきたあとに、ほとんど同じことを書いている。それは日本語という回路を通じて、作家はかつて日本語を語ったすべての死者たちと共生しているということです。日本語は「日本語がつくりあげて来た文化の堆積につながる回路」だということです。二人ともに自国文化の「近代以前」の深い闇の中に降りてゆくことが新しいものを創造するためには必要なのだと書いている。そういう言語的な覚醒の経験をこの二人は共有している。

外国語を学ぶことも、母語の「淵」深く沈潜してゆくことも、ともに「母語の檻」から抜け出ることをめざすという点では少しも矛盾していません。言葉を学ぶということは、この二つのいずれをも欠かしてはならない、僕はそう思います。

学校教育の場で子どもたちに教えるべきことは、「君たちは君たちの言語の虜囚である」ということです。君たちは自由に思考し、自由に感じ、自由に言葉を操っているつもりでいるかも知れないけれど、君たちは実は君たちが閉じ込められている集団的な「言葉の檻」から出ることができないでいるのだ。君たちの語彙も、音韻も、ストックフレーズも、君たちが使うメタファーもレトリックも、すべて「既製品」なのだ。君たちは与えられた言語の中で感じ、考え、語ることを強いられている。でも、君たちの中には自分が「檻」の中にいることを薄々感づいていて、もっと清涼な空気を吸いたい、もっと自由に語りたい、もっと自由に考えたいという願いを抱いている人がいると思う。その人たちに教えたい。「母語の檻」から出るには二つの方法があるよ。一つは外国語を学ぶこと、一つは母語を共にする死者たちへの回路をみつけること。これはとても大切な教えだと思います。

## 教育というのは苦しむ仕事

僕は武道を教えていますけれども、それは今の子どもたちに「君たちが自然だと思っている身体運用以外の仕方がある」ということを教えるためです。身体の使い方は言語と同じように構造化されています。子どもたちが現代的な言語運用のルールに繋縛（けいばく）されているように、現代的な身体運用のルールに繋縛されて、それが自然だと思って暮らしている。すべての人間は自分と同じように身体を使って外界を感じ、身体を動かしている、そう素朴に信じ切っているわけです。人間の身体は太古から現代まで、世界中どこでも「同じようなもの」だと信じ切っている。でも、彼らの身体運用はまさに２０１８年の現代の都市で暮らしている子どもたちに選択的に強制された「奇妙な」身体の使い方なのです。一つの民族誌的奇習なのです。歩き方も、座り方も、表情の作り方も、声の出し方も、すべて集団的に規制されている。

それとは違う身体の使い方があることを、例えば中世や戦国時代の日本人の身体の使い方があることを僕は武道を通じて教えているわけです。子どもたちをその文化的閉域から解放するために武道を教えているわけです。君たちは学べば、ふだんの身体の使い方とは違う身体の使い方ができるようになる。その「別の身体」から見える世界の風景は君たちがふだん見慣れたものとは全く違ったものになる。それは外国語を学んで、外国語で世界を分節し、外国語で自分の感情や思念を語る経験と深く通じています。自分にはさまざまな世界をさまざまな仕方で経験する自由があること、それを子どもたちは知るべきなのです。

結局、教育に携わる人たちは、どんな教科を教える場合でも、恐らく無意識的にはそういう作業をしていると思うのです。子どもたちが閉じ込められている狭苦しい「檻」、彼らが「これが全世界だ」と思い込んでいる閉所から、彼らを外に連れ出し、「世界はもっと広く、多様だ」ということを教えること、これが教育において最も大切なことだと僕は思います。

最初のトピックに戻りますけれども、今行われている英語教育改革なるものは、子どもたちをさらに狭い母語的現実の中に封じ込めようとしています。彼らに現代日本固有の民族誌的奇習を刷り込んで、「これが全世界だ」と錯覚させようとしている点で、ほとんど犯罪的なことだと思います。

いささか過激な言葉を使いましたけれども、おそらく多くの先生方は、実感としては僕に同意してくださると思います。すべての教育実践は子どもの知性的な、感性的な成熟を支援するためにある、それに資するかどうかだけを基準にして教育実践の適否は判断されるべきである。これは教育者として絶対に譲れない、どんなことがあっても譲れない一線です。僕と同じように感じてくださる先生方が一人でも増えて下さることを願っています。それを今の日本の学校の中で、やり遂げるのはたいへんなことだと思います。さぞやご苦労されることと思います。

でも、一昨日の保険医さんに言ったように、教育というのは苦しむ仕事なのです。人類が始まったときから存在する太古的な仕事、市場経済や国民国家ができるよりはるか前から存在した職能ですから、市場経済や国民国家となじみがよくないのは当たり前なのです。でも、われわれはすでに市場経済の世界に暮らしており、国民国家の枠内で学校教育をする以外に手立てを持たない。だから、葛藤するのは当たり前なんです。学校教育がらくらくとできて笑いが止まらないというようなことは、現代社会では絶対にあり得ないのです。それは学校教育のやり方が間違っているからではなくて、学校教育は市場経済とも国民国家とも食い合わせが悪いからです。それについては諦めるしかない。むしろ自分たちのほうがずっと前から、数万年前からこの商売をやっているのだからと言って、無茶な要請は押し返す。Ｎｏと言うべきことについてはＮｏと言う。とにかく子どもたちを守り、彼らの成熟を支援する。

彼らが生き延びることができるように生きる知恵と力を高める。それがみなさんのお仕事だと思います。

何だか、応援しているのか呪っているのかわからないような講演でしたけれども、とにかくつらい現実をまずみつめて、それから希望を語るということでよろしいのではないかと思います。ご清聴ありがとうございました。

（『東京私学教育研究所所報』84号、2019年3月）

# V　人口減少社会のただ中で

# 50代男性のための結婚論

『困難な結婚』についてインタビューがあった。50代男性のための媒体で、「そういう人たちにアドバイスを」というリクエストだったので、「発想を切り替えないとこの先は生き延びられませんよ」ということを書いた。ちょっと口ぶりがきつ過ぎたかも知れないけれど、インタビューに来た編集者たち（全員女性）は深く頷いていた。雑誌に書いたものにすこし添削したものをここに掲載しておく。

そもそも結婚は、幸せになるためにしているのではありません。夫婦という最小の社会組織を通じた「リスクヘッジ」であり、安全保障の仕組みなのです。病気になったり失業したり、思いがけない事態になったときに、一人では一気に生活の危機に追い詰められますが、二人なら何とか生き延びられる。お互いがサポートできる。それが結婚の第一の意味です。

かつては、地域社会や血縁集団が確立していて、その中で夫婦という単位が機能していました。普段は不満の多い夫婦でも、夫が親族のややこしい話を丸く収めたり、妻が地域のイベントで絶妙な差配をしたり、夫婦がチームとして成熟する機会がありました。そうやって、異性愛とは別のレベルに「バディ」としての信頼感が育まれたのです。

今の50代が不幸なのは、地域や血縁システムが崩れ、夫婦単位で行動して、「バディ」の見識や力量を目の当たりにする機会がほとんどなくなってしまったことです。それでも、自営業の夫婦でしたら、「連れ合いがいてくれて助かる」という実感が日々得られるでしょうけれど、勤めに出ていると、配偶者は支援者というよりはむしろしばしば「自己実現の妨害者」として登場してきます。お互いをしみじみ頼りになるパートナーだなと感じることが日常生活の中ではなかなか経験できません。


かつては定年まで働き、満額の退職金をもらうのが当たり前でしたが、今は人件費削減のために、役職定年がどんどん前倒しされています。大手でも大半が55歳で事実上リタイアし、先には昇進もない、責任ある仕事もないというきつい立場に追い込まれています。先行世代のキャリアパスが全く参考にならない雇用環境に投じられている。「不機嫌なおじさん」が激増しているのは、たぶんにそのせいなんでしょう。

でも、それは彼らの属人的な資質ではなく、あくまで制度の問題なんです。この間まで「部長！」とか呼ばれていたのが目下の人間に軽く扱われるようになった男の屈託を配偶者は理解してあげてほしいですね。気の毒な立場なんですから。

夫婦の問題については、愛が足りないとか気配りがないとか、あるべき夫婦に比べてうちは……というような「ファンタジー」を語っている余裕はもうありません。今すぐに備えるべきは、75歳以降の老年期の貧困問題です。

おそらく今の50代の相当数は70代にはシビアな貧困問題に直面することになると思います。年金制度は崩壊しているでしょうし、健康保険料も介護保険料もはるか高負担になっているはずです。株を持っていても世界経済の先行きは不透明ですし、銀行に預けても利子はゼロ。人口減少によって、都心を除けば不動産の値崩れは不可避です。

社会の変化の最大のファクターは人口減です。今から15年で人口は1000万人減ると予想されています。小さな県が年に一つずつ消える勢いでの人口減です。短期間に社会制度が土台から変わってしまう。根本的に変わってしまうんです。それは確かなのに、まだ「成長戦略は」とかいうような世迷い言を口走っている。現役の50代の多くは、「そんなことは知りたくない」とばかりに耳をふさいでしまっています。人口減、それによる市場のシュリンクという平明な統計的事実さえ直視しようとしない。

こう言ってよければ、彼らには不安はあるけれど危機感がない。

右肩上がりの時代に育ち、バブル期に就職し、上に従い、体制に順応することで出世してきたせいで、その成功体験に居着いて、そこから出られない。でも、危機感を持たない人間はリスクヘッジを考えない。そこが問題です。

ヒッチコックの映画『サイコ』に「金で幸福は買えないが、金で不幸は追い払える」というセリフがあります。家庭内で「お金がない」というのは、お金があれば回避できたトラブルに日常的に悩まされるということです。お金がないことから始まるトラブルの深刻さは家事分担でもめるのとは比較になりません。

ですから、老境の後退戦に備えるのが急務です。一番大事なことは配偶者との相互支援体制を確かなものにすることです。まずは現実認識を共有する。それぞれ職場の雇用状況や業界の今後などについて積極的に情報を開示し、配偶者はそれに耳を傾ける。その上で「何とかせねば」「何ができるか」を考える。お互いの社会的機能を見て、どう分業していくかを考える。

第二に、先行世代を参考にしたキャリアパスからの発想の転換を図ること。例えば、転職ではなく転業の可能性を検討する。都会ではいくら職探しをしても、加齢とともに賃金水準は下がり、それにつれて生活の質も下がらざるを得ない。縮小再生産のスパイラルに入ってしまう。

でも、人手が欲しい地方では、今自治体がいろいろな移住支援策を実施しています。都会にいても前職とは比較にもならないような待遇の仕事しかないということであれば、いっそ身体が動くうちに頭を切り替えて、Iターン、Uターンを選択をするという人はこれから増えてゆくと思います。

超高齢化のせいで、職業上の空白があちこちにできつつある。転業のチャンスは探せばたくさんあります。

生き延びるために一番大切なのは、ネットワークです。都会から帰農した若者たちに聞くと、日々の生活必需品はほとんど物々交換やサービス交換で手に入るそうです。市場経済と直接にはリンクしていないから、不況になろうと株が乱高下しようと、生活の質は急激には変わらない。生活の安定を考えるなら、地域共同体や親族共同体の相互扶助ネットワークをしっかり構築するのはありうる選択肢の一つだと思います。

とにかく性別も年齢も、社会的ポジションも違う人と連携するネットワークを形成すること。メンバーが多様である、ニッチを異にしていること、得意技がそれぞれ違うことは安全保障の基本中の基本です。階層や職業が同質的な人々とだけの集団には危機耐性がありません。

生き延びるために必要なもう一つは、いかに〝愉快に、機嫌よく〟生き延びるか、です。不機嫌では想像力も知性も働きません。

悲観的にならない、怒らない、恨まない。そういうネガティヴな心の動きはすべて判断力を狂わせます。危機的状況下では判断力の正確さが命です。にこにこ機嫌よくしていないと危機は生き延びられません。眉根に皺寄せて、世を呪ったり、人の悪口を言ったりしながら下した決断はすべて間違います。すべて。ほんとにそうなんです。不機嫌なとき、悲しいとき、怒っているときには絶対に重大な決断を下してはいけない。これは先賢の大切な教えです。

まずは配偶者との関係を穏やかで健全に保つこと。そのためには、自分が機嫌よくしていることが必須です。「バディ」として選んだその人と、夫婦というチームを成熟させ、安全保障を堅固にする。貧しくても、物心の不如意があっても、とりあえず「何とかなるよ」とにこにこ笑っていられるような、「機嫌のよい夫婦」にしか「夫婦が機嫌よく暮らす未来」は築けないと思います。ご健闘を祈ります。

（『日経おとなのＯＦＦ』２０１６年10月号）

# いい年してガキ　なぜ日本の老人は幼稚なのか？

## ――内田樹が語る高齢者問題

編著者をつとめた『人口減少社会の未来学』の刊行にあたって、「文春オンライン」でロングインタビューを受けた。全3回ぶんをここに採録する。

### 時限爆弾のような高齢者ビジネス

――少子化のすすむ日本は２０２４年には国民の３人に１人が65歳以上になり、先進国でかつてない超高齢化社会を迎えます。人口減少にともなう社会の大きな変化は、まず何から始まるのでしょうか。

**内田**　人口減少より先に実感されるのは、むしろ社会の高齢化の方だと思います。僕が小学生だった頃、日本の人口は９０００万人そこそこでした。日本の人口がその水準まで減るのは２０５０年ですから、まだだいぶ先です。でも、数は同じでも、僕が小学生の頃とは街の風景がまったく違うはずです。高齢者が３割を超える一方で、子どもの数は僕が子どもの頃の4分の1くらいまで減るからです。街に子どもの姿が見えず、老人ばかりになる。社会は活気がなくなると思いますけれど、それは人口減そのものの影響というよりは人口構成の不均衡がもたらすものです。

前に、あるカルチャーセンターに出講したときに、そこの人から「うちは遠くから通われる熱心なご高齢の方が多く、100歳を超えた方もいらっしゃいますよ」と言われたことがあります。「悪いけどそれ、ビジネスとしては先がないということですよ」と申し上げました。高齢者が総人口のボリュームゾーンになると、しばらくは高齢者をターゲットにしたビジネスが繁昌しますけれど、これは時限爆弾みたいなものです。タイムリミットがある。今の男性週刊誌は高齢者対象の媒体になっていて、「70歳からのセックス」を特集し、60年代のアイドルのヌードなんかで売ってますけれど、ある時点で読者層そのものが消失してしまう。

――2024年には「団塊の世代」がすべて75歳以上になります。

**内田**　1950年生まれの僕もその一番端っこにいるからよくわかりますけれど、団塊の世代はとにかく数が多い上に、同質性が高くて、かつ態度がでかいんですよね（笑）。生まれてからずっと日本社会において最大の年齢集団だったわけですから当然ですけど。子どもの頃からつねにマーケットの方が僕たちのニーズを追いかけてくれた。僕らの世代に受けたらビッグビジネスになるんですから。だから、どうしてもわがままになる。自分たちのやりたいことをやっていると、世間がついてきてくれる。他の世代との協調性がなくて、自分勝手な集団がそのまま後期高齢者になるわけですからね、介護・医療の現場の方々に多大なご苦労ご迷惑をかけることになるのではないかと心配です。介護・看護の現場はとにかく仕事がハードな上低賃金ですから、離職率が高い。介護職員は２０２５年に必要数に対して三十数万人不足すると予測されています。今からよほどきちんと制度を設計し直さないと、介護は立ち行かなくなると思います。

制度の手直しだけでは間に合いません。ひとりひとりが高齢者になっても自立的な生活ができるような自己訓練が必要です。若いときから、自分で料理を作ったり、家事をしたり、育児をしてきた人は、自分が高齢者になっても、なんとか自立的な生活ができますし、介護されるような場合でも、介護者の気持ちがある程度わかると思います。だから、介護者とのコミュニケーションが取れるし、他の高齢者たちとの共生もできる。でも、若いときからずっと仕事漬けで、家事も育児も介護もしたことがないという男性の場合は高齢者になったときに、本当に手に負えなくなると思います。生活能力が低すぎて。

高齢者にとって最も大切な生活能力は、他人と共生する能力です。理解も共感もできない他人とも何とか折り合いをつけることのできる力です。不愉快な隣人たちと限られた資源を分かち合い、共生できる力です。でも、そういう能力を開発する教育プログラムは日本の学校にはありません。ひたすら子どもたちを競争的な環境に放り込んで、相対的な優劣を競わせてきた。その同学齢集団のラットレースで競争相手を蹴落とすことで出世するシステムの中で生きてきた人間に高い生活能力を期待することは難しいです。

――これからは高齢者層もまた社会的な成熟が求められる時代ということですね。

**内田**　いや、申し訳ないけど60歳過ぎてから市民的成熟を遂げることは不可能です。悪いけど、大人になる人はもうとっくに大人になってます。その年まで大人になれなかった人は正直に言って、外側は老人で中身はガキという「老いた幼児」になるしかない。同世代の老人たちを見ても、いろいろ苦労を経て、人間に深みが出てきたなと感服することって、ほとんどないですから。これから日本が直面する最大の社会的難問はこの大量の「幼児的な老人たち」がそれなりに自尊感情を維持しながら、愉快な生活を送ってもらうためにどうすればいいのかということですね。これは国家的な課題といって過言ではないと思います。

――気が遠くなるようなタスクですね。

## 幼児的な老人を生んだ背景

**内田**　でもこの「幼児的な老人」の群れは日本人が戦後70年かけて作り込んできたものですからね、誰を恨むわけにもゆかない。戦後社会は「対米従属を通じての対米自立」というそれなりに明確な国家的な目標があったわけです。そして、この国家戦略は市民ひとりひとりが成熟した個人になることによってではなく、同質性の高いマスを形成することで達成されるとみんな信じていた。その方が確かに作業効率がいいし、組織管理もしやすい。消費行動も斉一的だから、大量生産・大量流通・大量消費というビジネスモデルにとっては都合がよかった。だから、国策的に同質性の異様に高い集団を作ってきた。

でも、こういう同質性の高い集団というのは、「この道しかない」というタイプの斉一的な行動を取ることには向いているんですけれど、前代未聞の状況が次々と到来するという危機的な状況には対応できない。そのつどの変化に即応して、「プランA」がダメなら「プランB」という臨機応変のリスクヘッジは、多様な才能、多様な素質を持った個人が「ばらけて」いることでしか果たせないからです。でも、多様性豊かな国民を育成するという方向には戦後日本社会はほとんど関心を持たなかった。

――『人口減少社会の未来学』（文藝春秋、2018年）の中で、本来「経済活動の本質は人間の社会的成熟を支援するためのシステム」だと指摘しています。なぜ、戦後日本人の経済活動は、市民的成熟と結びつかなかったのでしょうか。

**内田**　本にも書きましたが、経済活動というのは、恒常的な交換のサイクルを創り出し、それを維持することを通じて、人間の成熟を支援するための仕組みです。交換活動を安定的に行うためにはまず市場、交通路、通信網を整備し、共通の言語・通貨・度量衡・商道徳などを作り出さなければなりません。交換活動の安定的で信頼できるプレイヤーとして認められるためには、約束を守る、嘘をつかない、利益を独占しないといった人間的資質を具えている必要がある。

トロブリアンド諸島の「クラ交易」では、交換される貝殻の装身具にはほとんど使用価値がありません。でも、その無価値なものを安定的に交換し続けるためには、さまざまな人間的能力の開発が求められる。詳細は本文に譲りますけれど、クラ交易のプレイヤーに登録されるためには、「良い人」「信頼できる人」であることが必要です。大人でなければ、この交換事業には参与できない。そのように制度が作られている。

でも、高度経済成長期以後、日本では金儲けの能力と人間的成熟の間のリンケージは切れてしまった。子どもでも嘘つきでもエゴイストでも、勢いに乗れば経済的に成功できた。でも、プレイヤーに市民的成熟を要求しない経済活動というのは、人類学的には経済活動ではないんです。無意味だから。そんなのはただの時間潰しのゲームに過ぎない。そんなゲームは人類が生き延びてゆく上では何の意味もない。

もうひとつ、戦後日本の場合、近隣国から「エコノミック・アニマル」と蔑まれるほど必死に経済活動をしていましたけれど、あれは実はアメリカを相手に「経済戦争」をしていたんです。敗戦国となり、国家主権を失い、アメリカの属国身分にまで落ちたけれど、経済的に成功して、国際社会で重きをなすことを通じて、アメリカの支配から脱出しようとしていたんです。高度成長期の日本人は「そこまでして金持ちになりたいか？」というような異常な働き方をしましたけれど、あれは単に金が欲しかっただけではなくて、「経済大国になって、アメリカからイーブンパートナーとして認められ、国家主権を金で買い戻す」という国家戦略にもドライブされていた。とにかく「今度は経済でアメリカに勝つ」ということについては国民の間の暗黙の合意があったと思います。

――経済力にナショナルプライドを求めたわけですね。

**内田**　そうです。ただの強欲ではないんです。お金儲けの先にあったのは国家主権の回復です。国際社会における威信の回復です。それが国民的悲願だった。ですから、その時期の経済活動には一本筋が通っていた。でも、バブル崩壊で「金で国家主権を買い戻す」という壮大なプランが破綻し、追い討ちをかけるように、2005年の国連安保理常任理事国入りにほとんど支持が集まらなかったというトラウマ的経験があって、日本人は一気に自信を失ってしまった。

## 「失われた20年」の迷走

――目標の100ヵ国支持には遠く及ばず、共同提案国は32ヵ国程度にとどまりました。

**内田**　アジアではブータンとモルジブとアフガニスタンの3国しか支持してくれなかった。日本はアジア、アフリカにODAをばらまいていましたから、それらの国々からはそれなりに信頼され、期待されていると思い込んでいたけれど、実はまったく人望がなかった。金はあるけれど、政治的にはただのアメリカの属国に過ぎないと思われていた。国際問題について日本に固有の見識なり、独自のビジョンがあるとは誰も思っていなかった。「日本が常任理事国になってもアメリカの票が1票増えるだけだから、意味がない」という指摘に、日本政府は一言も反論できなかった。戦後60年ひたすら対米従属に勤しむことで日本は国力をつけて、国際社会で重要なプレイヤーになったつもりでいたわけですけれど、まさに「ひたすら対米従属に勤しんできた」がゆえに、世界中のどこの国からも一人前の主権国家だとは思われなくなっていた。まことに悲劇的なことでした。

ここ十数年の日本の迷走は、このショックがずっと尾を引いているせいだと思います。92年のバブル崩壊で「金で国家主権を買い戻す」というプランが崩れ、２００５年の常任理事国入りプランが水泡に帰して、経済大国としても、政治大国としても、国際社会の中で果たすべき仕事がなくなってしまった。

「失われた20年」と言いますけれど、日本が中国に抜かれて42年間維持してきた世界第2位の経済大国のポジションを失ったのは２０１０年のことです。バブル崩壊から20年近く、日本はそれでも世界第2位の金持ち国家だったんです。でも、その儲けた金をどのような国家的目標のために使うべきなのかがわからなくなってしまった。「腑抜け」のようになったビジネスマンの間から、「自分さえよければそれでいい。国のことなんか知るかよ」というタイプの「グローバリスト」が登場してきて、それがビジネスマンのデフォルトになって一層国力は衰微していった。それが今に至る流れだと思います。

——なるほど。

**内田**　経済って結局は人間が動かしているんです。システムが自存しているわけじゃない。生きた人がシステムに生気を供給してゆかないと、どんな経済システムもいずれ枯死してしまう。経済システムが健全で活気あるものであるためには、その活動を通じて人間が成熟するような仕組みであること、せめてその活動を通じて国民的な希望が賦活されていることが必須なんです。

だから、「エコノミック・アニマル」と罵られた高度経済成長期のビジネスマンも、ベンツ乗って、アルマーニ着て、ドンペリ抜いていたバブル期のおじさんたちも自分たちが国家的な目標を達成すべく経済活動をしているのだという正当化ができた。「オレたちはただ金儲けしているわけじゃないよ。お国のために戦っているんだ」という大義名分を自分でもある程度は信じていた。マンハッタンのロックフェラーセンターを買ったり、コロンビア映画を買ったり、フランスでシャトーを買ったり、イタリアでワイナリーを買ったりしていたけれど、あれは「われわれは金で欲しいものはすべて買えるくらいに偉大な国になったんだ」と舞い上がっていたんです。でも、そういう増上慢も今から思うと「可憐」だったと思います。

でも、今の日本には「オレがビジネスをしているのは、日本の国威発揚と国力増進のためだ」と本気で思っているような「お花畑」な企業経営者はいやしません。国民的目標を見失った「エコノミック・アニマル」はただのアニマルになるしかない。金儲けの目標が自己利益と自己威信の増大だけでは、人間たいした知恵も湧きません。何のために経済活動をするのか、その目標を見失ったので、何をやってもうまくゆかず、どんどん落ち日になっている。悲しい話ですよ。

――「失われた20年」を経て、いま日本人が希望をもてる道筋とはなんでしょうか。

**内田** 国民的な目標として何を設定するか、まことに悩ましいところです。ダウンサイジング論や平田オリザさんの「下り坂をそろそろと下る」という新しいライフスタイルの提案は、その場しのぎの対症療法ではなく、人口減少社会の長期的なロードマップを示していると思います。先進国中で最初に、人類史上はじめての超高齢化・超少子化社会に突入するわけですから、日本は、世界初の実験事例を提供できるんです。人口減少社会を破綻させずにどうやってソフトランディングさせるのか。その手立てをトップランナーとして世界に発信する機会が与えられた。そう考えればいいと思います。その有用な前例を示すのが日本に与えられた世界史的責務だと思います。

これから日本が闘うのは長期後退戦です。それをどう機嫌よく闘うのか、そこがかんどころだと思います。やりようによっては後退戦だって楽しく闘えるんです。高い士気を保ち、世界史的使命を背中に負いながら堂々と後退戦を闘いましょうというのが僕からの提案です。

(『文春オンライン』２０１８年4月30日)

# 貧困解決には「持ち出し覚悟」の中間共同体が必要だ

## ——内田樹が語る貧困問題

### 分配がフェアなら貧困にも耐えられる

——内閣府の発表によると、日本の子どもの相対的貧困率はOECD加盟国34ヵ国中10番目に高く、別の調査では、高齢者単独世帯における男性の相対的貧困率が29・3%、女性は44・6%にも及びます。人口減少は貧困をより深刻化させるのでしょうか。

**内田**　経済が右肩下がりになる中でこうした数字を聞くと、たしかに悲観的な気持ちになるのかも知れません。でも、経済指標の数値と人の幸不幸というのは完全な相関関係にあるわけじゃありません。問題は「分配方法」なんです。分配がフェアであれば、貧困にも耐えられる。分配がアンフェアだと、わずかな格差でも気に病むし、それによって傷つけられもする。そういうものです。

僕たちの子どもの頃の日本の貧しさは、今の若い世代には想像もつかないと思います。僕が小学校に入った年の夏休み前の校長先生の訓示は「いくらお腹が減っても、買い食い、拾い食いをしてはいけません」でしたからね（笑）。僕が子どもの頃、何か欲しいものがあって「買ってよ」というとほぼシステマティックに親に拒絶されました。「うちは貧乏だから」というのが母親の決まり文句でした。「どうしてうちは貧乏なの？」と訊くと、ぴしゃりと「戦争に負けたから」で話が終わった。そう言われたら、それ以上ごねようがない。それでも何とかなっていた。それは1950年代の日本人の貧しさは、関川夏央さんが言うところの「共和的な貧しさ」だったからです。乏しい資源を地域共同体で均等に分かち合い、助け合って生きてくという心遣いがありました。

——『ALWAYS　三丁目の夕日』のような世界ですね（笑）。

**内田**　僕が育ったのは東京の大田区の多摩川沿いの工場街です。僕の住んでいた町にはもともと地域共同体らしきものはなかった。川岸に軍需工場がたくさんあったので、その下請け孫請けの町工場がひしめき、そこで働く人たちが集住していたエリアです。空襲で工場はあらかた焼けてしまった。その廃墟に雑草が生い茂り、遠目には野原のように見えるんだけれど、近くに行って見ると、焼け焦げた鉄骨や崩れたコンクリートの土台や、ガラス片が飛び散っていた。そんなところにまともな地域共同体なんかあるはずがない。戦後、日本各地から仕事を求めて上京してきた人たちが、そこに安普請の家を建てて、肩寄せ合うように暮らしていた。だから、隣人たちと言っても、出身地が全員違います。方言も食文化も生活文化も違う。そういう隣人たちが、貧しいもの同士、互いに食べものを融通したり、質屋通いの仕方を教えあったり、子どもを預けたり、預かったりして、暮らしていた。

でも、64年の東京オリンピックの頃から、地域からそんな「共和的な貧しさ」が失われてゆきました。貧富の差が出てきたからです。本当にあっという間に親しみに満ちた地域共同体が崩れていった。そのスピードには子どもながら驚きました。まず小金を手にした家がブロック塀を建てるんです（笑）。他の家よりも早くテレビや電気冷蔵庫が入ったのだけれど、近隣からの嫉妬のまなざしを防ぐために、塀を立てて扉を閉ざした。別にたいした格差じゃないんですよ。いずれ、どの家にもテレビも電気冷蔵庫も入ったわけですから。でも、電化製品の導入のわずかな遅速だけで、そこに生じたわずかな嫉妬心の兆しだけで、地域社会の相互扶助的なマインドは簡単に無くなってしまった。共同体というのはずいぶん簡単に崩れるものだなということをそのときに痛感しました。

でも、それが残した教訓は悲観的なものだけではありません。なるほど、共同体というのはけっこう簡単に成立し、けっこう簡単に消滅するのだということを子どものときに学んだ。僕はこの経験から「出自も違う、職種も違う、学歴も違うという見知らぬ人たちでも、肩寄せ合って生きなければならないという事情があれば、ちゃんとそれなりの共同体を形成できる」ということを学びました。ものごとはダークサイドもあれば、サニーサイドもある。

これから先日本はゆるやかに定常経済に移行してゆくと僕は予測していますけれど、もう一度人々が「共和的な貧しさ」のうちに置かれるようになれば、相互扶助的な共同体はまた必ず再生すると思います。現に、僕が主宰する凱風館まわりでは、すでに数百人規模の相互支援共同体ができています。

## 凱風館から生まれている相互扶助

——具体的にはどのような相互支援が行われているのですか。

**内田**　凱風館の活動は武道の稽古と寺子屋ゼミがメインですけれど、スピンオフで寄席をやったり、聖地巡礼したり、餅つき大会をやったり、BBQやったり、海の家をやったり、スキー旅行に行ったり、いろいろな「部活」を展開しています。それが楽しいので、そういう楽しい活動にフルエントリーしようとする門人たちが次々と凱風館の周りに部屋を借りて住み出した。そしたら、いつの間にか地域共同体ができてしまった。門人たちは出身も性別も年齢も職業もばらばらですけれど、とりあえず全員が凱風館という道場共同体に属している。条件はそれだけです。僕の子ども時代の町内共同体とそれほど変わりません。

相互扶助がうまく行っているように見えるのは育児ですね。子育てをお互いに支援している。子どもたちを集めて、共同保育をやりたいといってきた夫婦がいたので、僕が少し資金を出して、近くに三階建ての一軒家を借りて、「海運堂」という多目的スペースを立ち上げました。そこに4人家族が暮らしつつ、自宅をさまざまな活動のために開放している。そこで共同育児やこども食堂、子どもたちが粘土や陶器を作る教室や、着付け教室や囲碁教室を開いています。最近になって「憲法カフェ」という活動も始めました。いろいろなゲストを呼んできて、主婦たちが集まって憲法の勉強をしています。

小さい子をもつ母親たちが集まって育児を共同的にやるというのは、本当に良質な実践だと思います。子育てが終わった主婦たちも、今度は自分たちの手が空いたからと言って、そういう場に参加して、若い母親たちをサポートしてくれる。若い門人たちも、そういうところに行くと赤ちゃんと遊ぶことができるし、おしめを替えたりする手伝いもできる。

——それはすごくいい体験ですね。

**内田**　今の若い女性って、子どもの頃に育児経験がない人が多いでしょう。ですから、生まれて初めて抱いた赤ちゃんが自分の子だったというようなことさえある。赤ちゃんがどういうものかぜんぜん知らないで、いきなり育児を始めるというのは大変ですよ。うちの門人に小児科の先生もいるんですけれど、生後2ヵ月の検診のときにすでに幼児は身体が歪み出し、母親は赤ちゃんの抱き方がわからず、腱鞘炎になっているというようなケースが珍しくないそうです。でも、それは母親たちの責任じゃないんですよ。今の日本では、若い人たちが身近に赤ちゃんを見て、抱いたりあやしたりする機会そのものがなくなっているからです。

凱風館まわりには、幸い子どもがたくさんいます。育児を共同的にできるという環境があるから、子どもを作ることに対するハードルは低い。凱風館は稽古もゼミも「子連れオッケー」ですから、乳飲み子を連れて稽古にくるお母さんたちもいます。そういう赤ちゃんたちは文字通り凱風館の畳をなめて育っているんです（笑）。

――今、核家族の家庭で、育児ノイローゼとかも多いですよね。共同保育のコミュニティが身近にあったらずいぶんと気が楽になると思います。

**内田**　基本的に育児は個人でできるものじゃないし、すべきでもないと思います。子どもを育てるのは共同体の仕事です。次世代を支える子どもたちを育てるのは集団全体の義務です。当たり前のことですよ。子育ては親だけに責任があるわけじゃない。その子どもをメンバーに迎え入れることになる集団全体が育児の責任を分かち合うべきなんです。そういう認識があまりに欠けていると思う。電車でベビーカーが乗ってくると舌打ちする人とか、ベビーカーを蹴る人までいるそうですけれど、本当に共同体とは何かということが全くわかっていないと思う。そういうことをするから子どもの数が減るんじゃないですか。

「少子化は困ったことだ」と言っている人たちは山のようにいますけれど、そういう有識者たちの中で、「だから、とりあえず町中で妊婦や子連れの人を見たら、最大限の気遣いをしましょう」というような具体的提言をしている人を見たことがない。子どもが出来たら報奨金を配れとか、保育園を増やせとか税金の使い方についてはあれこれ提言していますけれど、たしかにそういうことも大事ですが、まず自分自身が身近にいる若い夫婦や小さな子どもたちのために何ができるのか、そこから考えるべきじゃないんですか。

「少子化を何とかせねばならない」というなら、集団で子育てを支援する仕組みを自分の周りに手作りするくらいのことをしても罰は当たらない。妊婦や子育て中の母親に対して冷たい社会になったのは、単に想像力が欠けているからだと思います。自分が育児をしたことがないから、わからないんですよ。少子化のペースを少しでも緩和したいと思うなら、まず地域共同体の再構築と育児支援から始めればいい。

――凱風館まわりで、この先の超高齢化社会のヒントになりそうなものはありますか。

**内田**　凱風館で計画している中で、僕が今一番関心を持っているのは「合同墓」構想です。数年前に独身の女性門人から、「墓のことが心配だ」という話を聞いたんです。自分は今家の墓を守っているけれど、自分が死んだ後、誰が両親や自分の墓を管理してくれるのか。それを考え出すと不安になるという。その話を聞いたときに、「じゃあ、お墓を作ろう」と（笑）。凱風館門人なら誰でも入れる合同墓を作ることにしました。如来寺の釈徹宗先生に相談したら「実はうちも、お墓の守り手がいない人たちのために合同墓を建てようという話をしていたんです。ご一緒にやりましょう」と二つ返事で引き受けて頂いた。如来寺の近くの土地にお墓を建てて、ご住職に永代供養をして頂くというプランです。凱風館を設計した建築家の光嶋裕介くんには合同墓のデザインを依頼しました。

人間が死期を考えるようになったときに気になるのは、自分が死んだ後にも人々は自分のことを思い出してくれるだろうか、供養の一つもしてくれるだろうか……ということだと思うんです。合同墓なら、結婚していない人も、子どもがいない人も、自分のお葬式のことも年忌のことももう心配しなくていい。年に一度、凱風館門人一同でぞろぞろ如来寺に出かけて法要を営むことになるから。法事の席で、そのつど、そのお墓に入っている人たちについて「この人はこれこれこんな人だったんだよ。この人たちのおかげでわれわれは凱風館道場で今も稽古ができているんだよ」と話してあげられる。道場が続く限り、供養できる。

――それはすごい仕組みですね。

**内田**　子育て支援と合同墓ですから、文字通り「ゆりかごから墓場まで」（笑）。凱風館では結婚式も2組やりました。釈先生に司式をしてもらって、仏前結婚式。結婚式もできるし、子育てもできるし、墓も用意した。認知症になったときは「むつみ庵」という釈先生が大阪府池田市でやっているグループホームがあるので、そのときはお願いしますと予約してあります。

人間は、始めと終わりが一番生き物として弱い時期なわけです。赤ちゃんのときと、老人になったとき。そのときについての備えをするのが相互支援の仕組みだと思うんです。それ以外でも、「共同体に属していてよかった」と思うのは、病気になったときとか、失業したときとか、要するに弱っているときですよね。相互扶助共同体というのは、そのためのものなんですよ。弱者ベースで制度設計をする。共同体は強者が集まって、効率よく何か価値ある仕事をするためのものじゃないんです。孤立した弱い人でも、ここにいれば穏やかな気持ちで生きていける。そういう仕組みしか共同体にならない。

門人たちの中からも、これから失業する人とか、病気になる人とか、介護を必要とする人も出てくると思います。その人たちをどう集団的に支えてゆくか、それはそのつど手立てを考えるしかない。そういう仕組みはこれからみんなで知恵を出し合って、手作りするつもりです。

## 「持ち出し」覚悟の私人から共同体は立ち上がる

——先生は以前から「貨幣を介さない経済の中で生きるネットワークを持っている人と、そうでない人は、貧困社会においてすごく差が出てくる」と語っていました。

**内田**　相互扶助的なネットワークに繋がってる人と孤立している人の生活の質の差はこれから大きく出てくると思います。確かに、家事でも育児でも介護でも、すべてのサービスは市場で商品として売り買いされている。だから、お金さえあれば、どんなサービスでも手に入れることができます。でも、そういうサービスを市場で買うとなると、かなり高額なんですよね。たとえば幼児を数時間預かってもらうサービスを市場で買おうとすると少なからぬ出費になる。でも、子育てのネットワークに繋がっていれば、「今日はうちが見るから明日はあなたが預かって……」というようなことができる。ベビー服やベビーカーだってどんどん使い回せる。孤立した人は生きるために必要なものをすべて貨幣で調達するしかないけれど、相互支援ネットワークに属していれば、多くの場合にお金を出さなくても良質のサービスや商品を手に入れることができる。

それに、どんなネットワークにも、それなりに手元に余裕のある人は必ずいるものです。そういう人がお金を出せばいい。凱風館のような設備をきちんと管理運営するには確かにそれなりの費用が要りますけれど、それはここでは僕が負担する。他の人には負担を求めない。手元に不要不急のお金があるなら、どんどん有効利用した方がいいんです。僕自身は別に欲しいものなんか特にないし。スピンオフの「部活」でみんなとスキーに行ったり、旅をしたり、温泉に入ったりしていれば、それだけで僕はほぼ満足なんです。

――先生ご自身も「身銭を切って」いるわけですね。

**内田** 昔は、立志伝中の人物というのがいたじゃないですか。故郷の村を出て、東京に行ってそれなりに功成り名遂げた人たちは必ず故郷の村に「錦を飾る」ということをした。故郷の村に橋を架けたり、学校を建てたりした。それほどの資産家でなくても、前途有為の貧しい青年を「書生」として引き取り、学問をさせて世に送り出した。若い娘は「行儀見習い」として家で家事や作法を仕込んで、家から嫁がせた。そのくらいの弱者支援は、昭和30年代ぐらいまでは「自分はそこそこ暮らし向きのいい方だ」と思えた人は誰だってやっていたんです。

お金がないなら、お金がなくても気分よく暮らせるシステムを作ればいい。あらゆるサービスを金で買うという仕組みに慣れ過ぎた人たちは、「とにかく金が要る」ということを言いますけれど、ほとんどの問題は金さえあれば解決するという信憑にいつまでもしがみついているのはあまりに芸がないですよ。実際には、金でなんとかなる問題のほとんどは共同体に属していればなんとかなるんです。

生きるために必要なものはすべて市場で貨幣で買うしかないというのは間違った思い込みです。生きるために本当に必要なものは、本来無償で手に入る仕組みでなければならないはずなんです。必要最低限の衣食住も、防災も防犯も公衆衛生も教育も医療も育児も介護も、そういう行政サービスは「税金を払っていない人間には利用させない」というようなことはないでしょう。人が生きてゆく上で必要不可欠のものは「金を出せば手に入るが、金がない人間には与えられない」ということであってはならないんです。

――ここでお尋ねしたいのが、行政が主導して地域の地縁ネットワーク的なものを作ろうとしても苦戦する例が多いように思います。この点についてはどう思われますか。

**内田** 行政がやるとどうしても共同体の目的が「目に見える利便性の提供」ということに限定されてしまいます。行政が関与する場合、それなりの予算を投じた以上、外形的・数値的に表示できる「成果」を示さないといけない。予算を使った事業は、橋を作るでも、トンネルを掘るでも、かたちあるものがそこに残りますよね。でも、相互支援の共同体を通じて弱者を支援し、その生活の質を保持するという事業は、「これが成果です」とお示しできるものが可視化できない。育児とか介護とか医療とか教育とか、そういう弱者支援事業は、長期にわたるし、その成果を単年度ごとに数値的に示すということができない。

例えば、教育の成果は「市民的成熟の達成」ですから、予算を投じてから結果が目に見えるまで本当は30年も50年もかかります。でも、そんな長いタイムスパンでしか成果を計測できない事業には税金を投じることを嫌がる人が多い。必ず「税金を投じる以上、目に見える成果を出せ。そうでないと議会に説明できない。納税者に申し開きが立たない」と言ってくる。それはわかるんです。だから、行政から金を引き出すのがうまい人というのがいますけれど、そういう人は「これが税金を投じたことの目に見える成果です」と言って、もっともらしい数値的なデータをどこからかひねり出してきて、役人を説得する技術に長けているんです。それはそれで大切なことだし、すばらしい才能だと思うけれど、僕はそういう面倒なことはできないんです。

相互支援の共同体を立ち上げるというのは、基本的には行政の支援を当てにするのではなくて、私人が身銭を切って、自分で手作りする事業だと僕は思っています。「持ち出し」なんです。そうじゃなければできません。「これだけの価値あるものを自分は提供したのだから、それと等価のものを返して欲しい」というような消費者マインドでは無理なんです。贈与なんです。

――「持ち出し」覚悟の私人から共同体は立ち上がるというのは、目からウロコの視点です。

**内田** メンバーが認知症になったり、失業したり、変な宗教に凝ったりというときにこそ、支援が必要なわけで、これこれこういう条件を満たした人であればこれこれのサービスを受けられますといった「等価交換」的な市場モデルでは共同体は立ち上げることはできません。パブリック・ドメインを作り出すのは、実は政府や自治体のような「パブリック」ではなく、「私人」であるというのが僕の経験的確信です。ロックやホッブズが説いた近代市民社会の成立と原理は一緒なんです。私利の追求を抑制し、私有財産の一部を差し出すことで、はじめてそこに「みんなで使えるもの」が生まれる。私人たちが持ち寄った「持ち出し」の総和から「公共」が立ち上がる。はじめから「公的なもの」が自存するわけではありません。公的なものは私人が作り出すのです。

今はそういう常識が逆転して、市民たちはどうやって「公的なもの」から私権・私物を取り出すことができるかを競っています。総理大臣自身が公共財と私有物の区別がつかなくなっている例を見ても、それは明らかです。政府が国民に対しては「私権を抑制しろ、私有財産を差し出せ」とうるさく命令している。逆ですよ。国民が自発的に私権を抑制し、私有財産を贈与するときに、そこに公共が立ち上がる。私人の贈与によって成立した公共が、まるで自分が世界を創り出したかのような大きな顔をしている。公人に「公僕」という意識が全くなくなりましたけれど、それが「公共の解体」ということなんです。この事態を根本的に批判するためには、「市民とはこういうものだ」ということを身を以て実践してみせるしかない。そういう人たちが一人でも多く登場してくれることを期待しています。

（『文春オンライン』２０１８年５月２日）

# やりたいことをやりなさい　仕事なんて無数にある

## ——内田樹が語る雇用問題

### AIが市場に与えるインパクト

——今後、人口減少により既存のビジネスは再編や転換を余儀なくされる分野も多数出てくるでしょうし、なかでもAIがもたらす雇用へのインパクトは大きく、2030年には日本の雇用者数は240万人減るとの予測（三菱総合研究所）もあります。

**内田**　AI導入は、少子化以上に社会に直接的な打撃をもたらす可能性があります。アメリカではすでにいろいろなシミュレーションが行われていますが、いつ、どの分野で、どれほどの規模の雇用の変動が起きるかについては、まだ正確な予測は出ていません。製造業が大きく雇用を減らすことは確かですが、高度専門職でも、弁護士の業務の25％はAIが代行するようになるし、医師に代わってAIが診断を下すようになると予測する医療関係者もいます。

企業経営者たちは人件費コストをカットしてくれるならＡＩの導入を歓迎するでしょう。けれども、すべての企業が人件費カットに成功したら、短期的には利益が出ても、長期的には巷間に貧困者・失業者があふれかえって、購買力そのものが失われる。国内マーケットが縮小して、商品が売れなくなれば、国民経済は立ち行きません。でも、ＡＩを導入する経営者たちはそんなことはどうでもいいと思っている。「こんなこと」を続けていたらいずれ国内市場が消失するとわかっていても、四半期、単年度の利益が上がるならどんどん従業員の首を切ってゆく。彼らには「長い目で見たら」という発想そのものがないからです。現に、少数の超富裕層に世界中の富が集まり、個人口座の残高が天文学的な数字になっている。世界の富豪ランキングのトップ８人の資産が世界の下位の半分にあたる36億７５００万人の資産合計とほぼ同じです。

こんなことを続けていたら、資本主義というシステムそのものが滅亡してしまうということがわかっていて、それでも格差拡大を止めることができない。それは市場には「長い目で見たら」とか「人類全体の福祉を配慮したら」というような抽象的な枠組みでものごとの適否を判断する力がないからです。四半期の収益が増えるなら、何年か何十年か後に世界が破滅的なことになるリスクが高い事業でもためらわずにやる。それが市場の生理です。

――非常に危ういシステムですね。

**内田**　ですから、このまま経済を市場に丸投げしていれば、雇用崩壊、失業者の増大、階層の二極化、そして近代市民社会の崩壊と「中世化」という道筋を人類はたどることになる可能性が高い。明快な歴史的視野に立った、強い政治的な介入がなされなければ、もうグローバル資本主義はどうにもならないところまで来ている。

「21世紀のニューディール政策」が必要だと僕は思っています。財界は「生産性を上げろ」と盛んに言いますけれど、「生産性が上がる」というのは、要するにそれまで10人でやっていた仕事を5人でやるようにする、ということです。たしかに人件費コストは半分になりますけれど、それによって雇用を失った5人のことは何も考えていない。

先ほども言いましたけれど、グローバル企業は、合理化を貫徹したせいで国内で雇用崩壊が起きることを気にかけていません。国内に購買力がなくなったら、そのときは海外市場に打って出ればいい、そう考えている。

『人口減少社会の未来学』に収録された論考の中で、ブレイディみかこさんが、「Anywheres（世界のどこでも生きて行ける人）」と「Somewheres（どこかに定住して生きて行きたい人）」という二分法を採用していましたけれど、これは「機動性の高い人」「機動性の低い人」と言い換えることもできます。機動性の高い人たちは、いくつもの外国語を操り、世界各地にビジネスのネットワークを張り巡らし、あちこちに生活拠点を持っている。だから、日本がダメになっても、別に明日からの生活に支障はない。日本経済が破綻しても、原発事故やパンデミックで日本列島が居住不能になっても、そのときは「かねて用意の」シンガポールのマンションとかハワイのコンドミニアムとかに住居を移すだけで、相変わらず効率的にビジネスを続けることができる。国民国家と一蓮托生する義理がない、というのが「Anywheres＝機動性の高い人」たちです。

でも、本来「国民経済」というのは、国から外に出る気のない人、国から出ると暮らせない人たち、Somewheresを食わせるための制度です。日本語しかできない、お米を食べないとものを食べた気がしない、日本の風土や景観を愛している、日本の宗教や伝統文化が身体になじんでいる、身内や地域の人たちから「あなたがいなくなったら困る」と頼られている、そういう「日本から出るに出られない人たち」を基準にして「国民経済」は制度設計されるべきものです。

でも、今のグローバル資本主義にはそもそも「国民経済」という概念そのものがない。日本列島から出られない人間、海外に打って出て、そこで生き延びる能力のない人間は「グローバル人材」としては下位に格付けされ、それにふさわしい劣等な扱いを受けて当然だと考えられている。国の税金はもっぱらAnywheresのグローバルなビジネスを支援することに投ずべきであって、Somewheresが経済的に苦しんでいても、十分な市民的権利を享受できなくても、それは「グローバル人材」として自己形成する努力を怠ったことの帰結であり、自己責任だと言い放っている。自己責任で貧乏になった人間を税金で支援する謂れはない、と。

福島であれほどの原発事故が起こったあとも、財界が原発再稼働に躍起になっているさまを見ていると、日本のビジネスマンたちが長期的に日本列島を安全で住みやすい環境として維持することには特段の関心を持っていないということがよくわかります。廃炉プロセスは百年単位の事業ですし、放射性廃棄物の管理になったらこれは万年単位の事業です。どれほど安定的な統治機構でも引き受けることの難しい事業です。この先、大規模災害があるかも知れないし、戦争が起きるかも知れないし、パンデミックや原発へのテロがあるかも知れないし、人為ミスで原子炉が暴走することがあるかも知れない。そんなリスクを抱え込むことのデメリットと、発電コストを抑えて当期利益を増やすことのメリットは比較するのも愚かですけれど、ビジネスマンたちはそんなことは意に介さず、とりあえず当期の利益を最優先する。先々のリスクについてはまったく考える気がない。それはまた原発事故が起きて日本列島が居住不能になっても、そのときは日本を出て海外で暮らせばいいと思っているからです。現にそういう切り替えができる人たちが日本では指導層を形成しているのです。

## 生き延びるために一番大切なこと

――雇用の大きな変化を前に、これから社会に出ていく若者たちはどう備えたらよいのでしょうか。

**内田**　これから日本社会は前代未聞の激動期に入ります。何が起きるか全く予測がつきません。ですから、若い人たちに伝えたいのは、「オレはこうやってビジネスで成功した」とか「こうやって金持ちになった」というような自慢げな成功事例や経験則には耳を貸さない方がいいということです。人口減少社会でどうやったらサクセスできるかについては、過去に成功事例がありません。この状況下で若い人に告げるべき言葉としては、「やりたくないことをやりなさい」ということしかありません。「成功者」の教訓に従って、「やりたいことを我慢してやる」ということだけはしない方がいい。嫌なことを我慢したあげくに、なにもいいことがなかったら、文句の持って行く先がないでしょう（笑）。

人はやりたいことをやっているときに最もパフォーマンスが高くなります。難局に遭遇して、そこで適切な選択をするためには、他者の過去の成功事例を模倣することではなく、自分自身の臨機応変の判断力を高めた方がいい。そして、自分の判断力が高まるのは、「好きなことをしているとき」なんです。「自分は本当は何をしたいのか？」をいつも考えている人は「これはやりたくない」ということに対する感度が上がります。そして、生物が「これはやりたくない」と直感することというのは、たいてい「その個体の生命力を減殺させるもの」なのです。自分の生きる力を高めるものだけを選択し、自分の生きる力を損なうものを回避する、そういうプリミティヴな能力を高めることがこの前代未聞の局面を生き延びるために一番大切なことだと僕は思います。

自分がしたいことがあったら、それをする。自分が身につけたい知識や技術があったら、それを身につける。自分が習熟したい職能があったら、それを学べばいい。つまらない算盤をはじいてはいけません。「一時我慢して、それさえなんとか身につけておけば、あとは一生左うちわ」などというものにふらふらと迷い込んではいけません。弁護士や医師でさえ雇用の危機だという時代になるんですから。

あと、若い人には仕事は世の中に無数にあるということを伝えたいですね。無数にあるけれど、一つ一つの求人数は少ない。そういう求人情報は若い人たちのもとには届かない。求人と求職をマッチングするシステムがないからです。僕が聴いた話で面白かったのは「鎧の修復」の仕事です。

## 世の中には多様な職がある

——鎧の修理者!? それまた随分ニッチな(笑)。

**内田**　日本の鎧兜(かぶと)って、世界中の博物館、美術館に展覧してあるでしょ。でも、繊維や皮革は必ず経年劣化する。だから、それを定期的にメンテナンスする専門職が要るんです。受注件数はたいして多くないけど、ニーズは安定している。その修復技術の後継者がいないらしいんです。年収2億ぐらいになるんだけど、誰かやる人いないかなって話を聴きました

（笑）。

——そんなに儲かるんですか！

**内田**　でも、そういう仕事って、「やります」っていう人が3、4人もいたら、それでもうあと何十年かは間に合っちゃうわけですよね。だから、求人広告を出すほどでもない。何かのはずみで聞きつけてきた人がいたら「ご縁があった」というような話です。刀鍛冶とか能楽師とか、後継者がなくて困っている業種って、いくらでもあります。

地方に移住して農業に取り組む若い人も増えていますけれど、それは帰農者に対して自治体によってはたいへんよい条件を提供しているからです。住む家も提供するし、最初の3年間はお給料を払うし、農業技術も教えますというような好条件で農業従事者を探している。高齢化による耕作放棄地がそれだけ増えているということです。地方移住の案内窓口に問い合わせに来た人たちの数はこの数年間で10倍に増えたそうです。でも、そういう求人と求職者を出会わせる仕組みはまだ十分に整備されていない。

ネットの就活情報だけ見ていると、ごくわずかな就職先に新卒者が殺到しているように見えるでしょうけれど、それは企業と就職情報産業が作り上げている幻想です。狭い求人市場に大量の新卒者を送り込めば、求職者の間で競争が激化して、結果的に企業は能力の高い労働力を安価で採用することができるから。「君の替えなんか、いくらでもいるんだから」というのが雇用条件を切り下げるときの殺し文句ですからね。

――内定をとるまで何十社も落ち続けるとか、新卒一括採用は学生たちに深いダメージを与えていると思います。

**内田** 茂木健一郎さんも新卒一括採用制度を厳しく批判してますけれど、なかなか世論は盛り上がらないですね。でも、一部の企業による「就職情報独占体制」は崩さないといけないと思う。今の若者たちは、世の中にどれほど多様な職種があるのか、そのこと自体についての情報が遮断されているんです。世渡りの「たずきの道」は若い人たちが想像しているよりはるかに多いというシンプルな事実さえ教えられていない。

余談ですが、以前うちの奥さんに、なんで能楽師になったの？ って聞いたら、「着物を着る仕事がしたかった」からって（笑）。だから、仲居さんでも、呉服店の店員でも、実はよかったらしい。でも、そういうことってあるでしょう。「着物を着てする仕事だったら、とりあえず何でもいい」というような仕事の探し方って、僕はあっていいと思う。

――そんなシンプルな動機が出発点だったんですね（笑）。

**内田** 「Tシャツと半ズボンとゴム草履でできる仕事だったらなんでもいい」とか、そういうのって実は結構あると思いますよ。僕は神戸女学院大学に就職して最初の授業のときに、ツイードのジャケットを着て、ダンガリーのシャツを着て、黒いニットタイをして眼鏡をかけて教壇に立ったんですけれど、後から考えたら、あれはインディ・ジョーンズが冒険の旅から戻って大学で考古学の授業をしているときの恰好だったんです。「大学の先生になると、ああいう恰好ができる」と思い込んでいて、それにあこがれていたんだと思う。何を教えるかなんて、とりあえずどうでもよかったんです。ジョーンズ博士みたいな恰好をして、階段教室の黒板の前で、学生がぜんぜん興味のなさそうな学術的な話をしているとき、実に気分がよかった。

　それに、僕はとにかく人にもの教える仕事というのが好きだったんですね。だから、大学の教師を辞めた後は今度は道場で合気道の先生をやっている（笑）。教える教科は何だっていいんです。好きだから。教えるのうまいです。大学の先生の仕事も楽しかったけれど、合気道の先生もやっぱり楽しい。合気道の先生が職業として成立するなんて、信じられないでしょうけれど、これがちゃんと成立する。好きなことですから、教え方うまいし。

――そういう話を聞くと、今のビジネスモデルの中で雇用が少なくなったとしても、いくらでもやりようはあると思えてきますね。

**内田**　ＡＩによって代替不能の仕事ってこの世に山のようにありますよ。合気道の先生なんてロボットには絶対できないでしょ。だから、若い人たちは何も不安に感じることはないと言いたいです。もちろんある種の製造業やある種のサービス業は、機械に取って代わられるかも知れませんけれど、人間の微細な感覚や、黒白のはっきりしないグレーゾーンでの判断力とか、原理的には解けない問題を常識で解くというようなことは人間にしかできない。『人口減少社会の未来学』でも、若い人たちへのエールとして、「最後に生き残るシステムとは何か」について書きました。これからの厳しい時代を生き延びなければならない次世代の健闘を心から願っています。

(『文春オンライン』2018年5月7日)

特別対談　内田樹×堤未果

日本の資産が世界中のグローバル企業に売り渡される——

# 人口減少社会を襲う〝ハゲタカ〟問題

堤未果／国際ジャーナリスト。東京生まれ。ＮＹ州立大学卒業。ＮＹ市立大学大学院国際関係論修士号取得。国連、米国野村證券などを経て現職。米国を中心とした政治、経済、医療、教育、農政、エネルギー、公共政策など幅広い調査報道で活躍中。多数の著書は海外でも翻訳されている。『報道が教えてくれないアメリカ弱者革命』で黒田清・日本ジャーナリスト会議新人賞受賞。『ルポ　貧困大国アメリカ』で日本エッセイスト・クラブ賞、中央公論新書大賞を共に受賞。近著に『日本が売られる』、『支配の構造』（共著）等。

## 「老後2000万円」問題に隠された思惑

**内田**　人口減少社会で年金制度が持続できるか不安視する声が高まっています。最近、金融庁が発表した「老後2000万円不足」問題がネット上でも話題になりました。麻生（太郎・財務）大臣は「報告書読まない、受け取らない」として問題をもみ消そうとしていますが、そもそも「100年安心」を掲げていたことに無理があった。この先の人口減少を考えたときに、よくこんな嘘をつけたなと思います（笑）。とりあえず「向こう15年くらいは安心」あたりを目指し、状況が変わったら、そのつど新しいファクターを取り込むことのできる、フレキシブルで復元力のあるシステムを作った方がよほど現実味があったんですけどね。

**堤**　現行の年金制度は、経済成長し続けることが前提で設計されている上に、当初より平均寿命も20年以上伸びている。あのとき予想していなかった少子高齢化など、状況が大きく変わっているのにどの政権も触りたがらず、ずっと後回しにしてきましたね。恩恵を受けている高齢世代が高投票率で、しわ寄せを受ける若年層の投票率が低い状況が、この問題をさらに悪化させています。選挙前のこの時期に触るなと言わんばかりに、大臣が報告書を受取拒否して炎上する姿はまさに象徴的でした。本当は今のライフスタイルも社会制度も根本的に考え直さなければいけない、この国にとってとても重要なテーマなのに、政治的にごまかされてしまう。２００７年の選挙では「消えた年金」問題が争点になりましたが、あれもうやむやのままですよね。

**内田**　消えた年金といえば、僕が大学を退職するときに総務に年金の資料をもらいにいったら、神戸女学院時代の21年分しか記録がなくて、それ以前の、会社で5年間、都立大の助手を8年間やっていた期間の支払いがすべて消えていたのには驚きました。自分で会社をやっていた5年間の年金記録が消えていたのはわからないでもないけれど、公務員時代の年金記録まで消えていたのにはびっくりしました。「どうすればいいの？」って訊いたら、「在職して年金を支払っていたという証明書をもらってきて、手続きしないとダメでしょうね」っていうんです。「でも、僕の勤めていた大学、もうなくなっちゃったんですけど……」（笑）。そういう場合はどこに行ったらいいのか訊いても、「さあ……」と言われて。冷たいもんですよ（笑）。めんどくさいので、僕、年金貰ってないんです。

**堤**　ひどい……信じられない話ですね、最後の結論が潔いけれど（笑）。「記録が消える」「統計ミス」などは国の機関にとって重大な欠陥ですが、その後も年金データの処理が下請けの外国企業に委託されるなど、ずさんな扱いをしているのが気になります。２０００万円問題に戻ると、あの報告書を読むと、高齢夫婦無職世帯の平均貯蓄額は２４８４万円と書かれていますが、平均だから当然その中に格差があり、２０００万円という数字だけ見るとゾッとしますよね。厚生年金加入者が２０００万円なら国民年金加入者は５０００万円以上足りなくなるなど、国民が不安になったところに金融庁から「とにかく早い段階から資産形成を」と促されている。金融庁の本命はあの部分でしょう。

**内田**　今の高齢者はある程度の個人資産を持ってるかもしれませんけれど、現役世代が普通に働いて2000万円貯めるのは難しいと思います。定期預金の金利はほぼゼロですから、貯金してたら資産形成なんてできない。だから、あれは要するに「株や不動産を買って、投機的なふるまいをしろ」って国民を脅しつけているってことですよね。一般市民を賭場に引きずり出して来て、「さあ、張った張った」と煽っている。

**堤**　NISAの優遇措置をはじめ、政府はこれまで金融分野の法改正を進め、なかなか預貯金を移し替えない一般国民が投資しやすい環境を整えてきました。金融リテラシーは確かに必要ですが、問題は、財界や投資家と政府の距離が近すぎること。投資を促したい人たちに金融庁が協力し、そこが出した平均値が一人歩きして老後不安が煽られている。でも本来年金とは何のために存る制度でしょうか？　制度が残っても受給額が目減りしてゆく中で、安心して年を重ねられる社会にするために政治ができることはたくさんあるはずです。例えば給料の大半が家賃に消えてしまう現状で、欧州のように高齢者や若者、母子家庭や子育て世帯への住宅支援を手厚くするだけで、かなりの負担が軽減されます。

　また、奨学金という名のローンに金融業界が参入して利益を上げ、若者が卒業と同時に背負った借金でマイナスからスタートする今の仕組みも見直すべきでしょう。女性に社会に出て活躍しろと言いながら、保育や介護の報酬を下げて、保育難民・介護難民を増やしている現状も本末転倒です。不公正な薬価の適正化と地域医療促進で老後医療費を下げることもですし、老後の生活費を減らすための政策はいくつもある。「自己責任」で地方や個人に丸投げする前に、政治が動くことが先でしょう。

## 国民資源のストックは豊かでも、仕組みが破綻

**内田** 僕の見聞できる範囲だと、教育と医療はかなり危機的な状況になってきています。第一次産業の農業や林業も高齢化と後継者不足が深刻です。過疎化がさらに進行すれば、これから先消滅する市町村も次々出て来るでしょう。でも、日本の国民資源のストックそのものは豊かなんです。そう簡単に底をつくほど浅いものじゃない。温帯モンスーンの温順な気候、きれいな大気、肥沃な土地、豊かな水資源、多様性のある動物相・植物相、国民の知的水準や遵法精神や治安の良さ、社会的なインフラの安定性……どれをとっても素晴らしいアドバンテージがあるわけです。

ほんの20年前までだったら、日本は教育研究や医療の分野でもアジアではトップクラスだったんです。それがわずか10年ほどの間で急速に低下してしまった。でも、これだけ短期間に低下したというのは、国民の資質そのものが劣化したからではない。人間そのものはそん

な短期間には変わりませんから。そうじゃなくて、資源の管理の仕方が悪かったからなんです。国民資源の本体が底をついたわけじゃなくて、それを管理し、制御する仕組みが破綻した。そのせいで、こんなことになった。だから、元に戻そうと思ったら戻せるはずなんです。いきなり一般化して「日本はもうダメだ」という悲観論を語るのも行き過ぎだし、逆に「日本はスゴイ、世界中が日本にあこがれている」というような無根拠な楽観を語るのも行き過ぎです。実体はその中間くらいにある。ストックは潤沢にあるけれども、それを活かすシステムが機能していない。だから、システムのうまく機能していないところは補修すればいいし、うまく回っているところはそのままにしておけばいい。別にこめかみに青筋立てて激論をするような話じゃないんです。限られたリソースをどこにどう分配するのが適切なのか、それを長期的視野で考える。それだけのことです。そのためにはまず頭をクールダウンして、自分の主観をいったん「かっこに入れて」、衆知を集めて、知恵を出し合い、「日本があと50年、100年持つためにはどうしたらいいか」について意見交換をする。

意見交換をするためには、まず事実を正確に把握する必要があります。船が沈没しようとしているときには、「もうダメだ」と座り込むのも、「ぜんぜん平気」だと空元気を出すのも、どちらも愚かなことです。船のどこにどんな穴が開いて、どれくらいダメージがあるのか、あとどれくらい持つのか。まずそれをクールに観察しなければ話が始まらない。

僕の知り合いにカリフォルニア大学で医療経済学を教えている方がいます。医療経済学というのは、どういう医療の仕組みをつくれば、最も安いコストで、国民の健康が保持できるかを考える計量的な学問なんですけれど、医療経済学には、医学、経済学、数学、統計学、疫学、社会学など、さまざまな分野についての横断的知識が要る。それだけの学識がないと医療や保険の仕組みについての政策提案ができない。その彼が時々日本に帰国した際に話を聞くんですけれど、この間来たときに、日本の健康保険制度についての政策提言を求めて来たのに、厚労省が持っているデータを出さないと、ずいぶん怒っていました。官僚は自分たちが行ってきた政策の適否を外部から査定されたくないので、重要なデータを隠すんです。でも、そんなことを許していては、制度の適否を吟味して、改善する道筋そのものが塞がれてしまう。

**堤**　データ隠しや改竄など、もはや国家の末期症状です。例えばアメリカでは公文書管理は非常に重要視されていて、トランプ大統領のツイッターに至るまですべてその対象で、私のような外国人でも請求できます。「消えた年金」問題の際に福田康夫元総理が「公文書管理法」導入に尽力されましたが、実はあれは日本にとって本当に重要な法律でした。残念ながら罰則がないという抜け穴が塞がらないままきてしまい、今や官邸が人事権まで握り「忖度」が常態化してしまったのが現状でしょう。

１００年後の日本を設計しようという人の居場所がなくなってしまったことは実に深刻なことだと思います。年金と同じで長いスパンで見なければならない林業や漁業、農業などの第一次産業や社会保障についても同様の問題が起きています。そんな法改正をするとこの先持たない、ダメになってしまうと声をあげた官僚がどんどん異動させられている。

人事権を握るトップが100年ではなく四半期利益を基準にするような政策を次々に実施している今の状況は、日本全体の国益を大きく損ねているのです。

**内田**　今の政官界には長期的なタイムスパンで国益を考えられる人がいなくなっていると思います。人口減少も、何十年も前から人口動態については正確な予測が立っていた。にもかかわらず、人口減対策をどうするかについて責任をもって対策を立てるセンターが政府内には今も存在しません。

人口減に限らず、自然災害でも、パンデミックでも、テロでも、国が直面する可能性のあるリスクはさまざまなものがあります。それは別に「誰の責任だ」という話じゃない。でも、そういうことが「いざ起きた」というときに、国民の被害を最小化するためにどうすればいいかについては、事前に十分なシミュレーションはしておくべきだと思うんです。でも、「何か起きたときに、その被害を最小化するためにどうしたらいいのか」というプラグマティックな頭の使い方をする習慣が日本の役人にはありませんね。「プランAがダメだったときにはプランB。プランBがダメだったときはプランC……」というふうに二重三重にフェイルセーフを考案するという思考習慣がない。

どうして、国難的事態に備えて制度設計をしないのか。理由はいくつか思いつきますけれど、一つは日本が主権国家じゃないからですね。安全保障でも、エネルギーでも、食糧でも、教育でも、医療でも、学術でも、国家にとっての重要分野において、アメリカの「許諾」を得られない政策は日本国内では実現しない。だから、日本では「国益を最大化するためにはどうすればいいのか？」という問いが優先的な問いにならないのです。仮にある役人が「日本の国益を最大化する政策」を思いついたとしても、それがアメリカの国益と背反するリスクがある場合は採択されない。そもそも議論の俎上にさえ上がらない。今の日本の官僚は「アメリカが許諾するはず」ということを第一条件にしてものを考えています。でも、そうなったら、例えば、医療制度や保険制度を国益中心に考えることができない。アメリカの製薬会社や民間保険会社はアメリカの政策決定に強い影響力を持っていますから、仮に日本国民にとって最良の保険制度を厚労省の現場が思いついても、「それだとアメリカの企業が儲からない」という理由でリジェクトされる可能性がある。安全保障だってそうです。日本の安全にとってもっとも費用対効果の高い国防政策を防衛省の誰かが起案しても、「それはアメリカの軍需産業の売り上げを減らすリスクがある」と上の方で誰かが言い出したら、吟味の対象にさえならない。

だから、今の日本の政策は基本的に「アメリカの国益が最大化する」ことを目標に起案されているんです。そして、アメリカの国益を最大化する政策を立案し実施できる役人が出世する。堤さんがお書きになっている、規制緩和によって日本の資産がグローバル企業に売り渡される「ハゲタカ」問題はまさにそうです。アメリカの国益を優先的に配慮できる人たちが政・官・財で指導層を占めているから、そういうことが可能になる。

**堤**　悲しいことに、その「アメリカの国益」に貢献した結果、アメリカ国民が幸せになるかというと決してそうではないのです。潤っているのは、「今だけカネだけ自分だけ」価値観で世界市場の中で自らの儲けを最大化しようとするハゲタカグローバリストたちで、一つの国籍ではなく、中国も欧州も入り混じっている。投資家たちの利害が一致したところで、各国の政府が忖度して動いているという構造ですね。中国は土地や介護ビジネスを、フランスは水を、アメリカとドイツは食を、という具合に、日本は包囲されています。

**内田**　海外のヘッジファンドの出資者は、国籍に関係なく、世界中の富裕層ですからね。別に彼らは彼らの祖国の国益に配慮しているわけじゃない。自分の個人口座の残高が増えればどこの国がどうなろうと知ったこっちゃない。でも、彼らは日本を切り崩すときは「アメリカがそれを望んでいる」と言うのがマジックワードになることは知っている。「アメリカのため」と言えば、日本の資源は「むしり取り放題」だということは知っている。日本の国民は「宗主国であるアメリカがこれを望んでいる」と言われると、一発で腰砕けになるからです。アメリカを「入口」にしさえすれば、日本の国富をいくらでも貪ることができる。

政官財やメディアの上層部は「アメリカのために」という名目で国富を流出させています。「アメリカの国益を最大化することが日本の国益を最大化することである」という倒錯的な国益観が日本国内では広く信じられているから、したい放題なんです。彼らの場合は、そうすることで宗主国に自分たちの属国内での高い地位を保全してもらっている。安倍政権が長期政権であり得るのは、まさにそれだけが理由です。

アメリカにとって安倍首相は「歴代総理大臣の中で最もアメリカの国益を優先させてくれた人」ですから。アメリカとしてはできることなら彼が未来永劫日本の首相であって欲しいと望んでいるはずです。日本の国土を提供し、日本の市場を開放し、日本の国富をアメリカに流し続けてくれるんですから。

気の毒なのは一般の日本国民です。自分たちが納めた税金が見ず知らずのどこかのリッチマンの個人資産に付け替えられてゆくのを指をくわえて見ている。怒りもしない。そこまで属国民根性が骨身にしみている。

## 介護分野は5つ星の投資商品

**堤**　どんなに少子高齢化が進んでいってもどうしても必要不可欠なもの――水道や食の安全、医療、介護にはビジネスとして高い値札がつきます。例えば介護分野などまさに「5つ星投資商品」です。アメリカの場合は死ぬのも自己責任なんで介護保険がない。だからみんな自分でなんとかしなきゃいけなくて、家を売ったりして老人ホームに入るんですが、月々の費用が非常に高い。入れたところで認知症を発症したりしてだいたい5年くらいで出されてしまう。この5年の回転率って、投資商品として非常に魅力的なんです。

**内田**　老人ホームを出されたあとはどうなるんですか？

**堤**　自宅に戻ってあとは病院か民間のヘルパーさんを自分で雇ってください、と。でも民間のヘルパーにはかなりグラデーションがあって、私が取材したひと月60～70万円払って来てもらう例から、時給5ドルで無資格の不法移民がすごくブラックな状態で働かされている現場まで、さまざまです。たとえばメディケア（65歳以上の高齢者と障害者、退役軍人向けの公的医療保険制度）で賄える月20万ぐらいの老人ホームに入れたとしても、コストカットでひとりのヘルパーさんが50人見ているような状況なので、本当に悲惨です。放置されたり、点滴のミスなどとにかく事故が多い。命の沙汰は金次第で、訴えたところで企業弁護士がついてるので絶対勝てません。運営会社はレイヤー構造になっていて本社は海外にあったりし、責任の所在がわからないんですよ。勿論これが全てではないけれど、「死ぬのは自己責任」の社会は本当に両極端で、あれは日本人から見るとショックな光景ですね。

事の起こりはクリントン政権で、これから高齢化社会だから老人ホームを作る補助金は政府が出すと無担保融資をはじめてから急に乱立していった。政府公金を元に巨大なビジネスに成長しました。ビジネスで一番効率がいいのは、税金に支えられる事業です。運営は企業がとことんコストカットして、利益はタックスヘイブンに本社を移して税金逃れをするというビジネスモデルが一番効率いい。この流れは日本にもすでに来ています。

２０１５年に、日本で介護報酬が下げられた当時、マスコミは「不正が起きてる」と盛んに喧伝しました。悪質な介護施設があると大々的に流して、介護報酬が大幅に切り下げられた結果、国内の介護事業者が戦後最大の倒産件数を記録しました。その倒産した介護施設の多くが外資に買われていった。介護施設は不動産投資にもなるし、介護の需要そのものはこれから増えてゆく。確実に利益が出る投資商品です。

**内田**　国内の介護事業者を潰して、外資に差し出したわけですね。

**堤**　私が行った介護分野の投資セミナーでは、「絶対に利益が出る優良投資です。人件費は抑えてサービスもミニマム。回転率は最速で！」などという話がされていてゾッとしました。でもセミナーは大盛況でしたよ、何せ5年で回転、年間2回の高配当ですから。

これね、民営化した刑務所と同じビジネスモデルなんです。『ルポ　貧困大国アメリカⅡ』（岩波新書、２０１０年）に詳しく書いたのですが、この取材で驚いたのが、政治家が「刑務所作ります」と公約に掲げると当選しやすいんですね。刑務所があると壁の外は静かで警備体制が拡充される上に、各自治体も助かりますから。

**内田**　囚人を切らしちゃいけないわけだ（笑）。

ただし、不動産に出資すると必ず店子がいるでしょう？

**堤**　その通りです。そこで政治家はどうすると思います？　厳罰化するんです。例えば「スリーストライク法」といって、２度の前科がある者が警察に捕まると３度目でスリーストライク（三振）として終身刑になるという恐ろしい法律があります。カリフォルニアなどは軽犯罪でも１回にカウントされるので容赦ない。冤罪で脱獄した人も３回脱獄したらスリーストライクアウトです。そうすると店子は永住してくれる。実際、稼働率が２００％超えてますという信じられない場所もあって、取材に行ったら４段ベッドにぎゅうぎゅう詰めでした。囚人ひとりあたりに州から補助金が出ますから、店子を詰め込めば詰め込むほど、不動産としても利回りが高くなる仕組みです。

そして、店子がそんなにいっぱいいるのに遊ばせておくのはもったいない――。かつて自国のアメリカ人を使っていた企業は次に人件費削減で派遣社員を使うようになりました。でも派遣社員でもまだ高い、じゃあ移民を使おうとなり、今はその先に来ていて、時給20円くらいで囚人を使います。

一般国民なら労基法で守られるけど、囚人はその圏外。だから、たとえばパソコンのＨＤの最終段階の廃棄作業ってけっこう危ないし、危険な薬品の破棄なども、通常なら自治体の環境規制に引っかかるところが、刑務所内だと法の外なんです。だから経営者にとって刑務所は最高のビジネスツールですね。

その同じビジネスモデルが、病院、介護施設に入って来ている。実際、３年ぐらい前に日本にも病院の不動産リートというのが商品として入ってきました。

**内田**　どういうふうに？

**堤**　今、日本の自治体病院ってほとんど赤字じゃないですか。その不動産に出資してもらいなさい、そうすれば黒字になります、と。当然、医師会はすごく反対しました。日本は医師法で営利目的の運営が禁止されているし、医療法人のトップは原則医師または歯科医師と医療法で決められています。そしたら直接出資はできないが非営利のホールディング型ならOKということにしてしまった。株式会社運営の病院が入ってきやすくなる素地は着々と進んでいます。その次が介護施設です。介護と移民はセットになっている。グローバリズムの中で、高齢者も囚人も病人もみんな商品になっているわけです。

でもこうした世界的な流れはわずかここ数十年のことなんですよね。80年代にアメリカで新自由主義が出てきて、長い歴史の中で見るとたった数十年しかないひとつのイデオロギーにこんなにも世界が食い荒らされてる。若い世代の人たちは一択しか選択肢がないように思い込まされているけど、右肩上がりに経済成長を続けなければダメだという作られた幻想から脱却し、日本の持つ有形無形の資産をいかに守るか、考えるべきときが来ているのではないでしょうか。

## 最低の教育コスト×最低の学習努力

**内田**　新自由主義の潮流の中で、教育分野もまた「ハゲタカ」の餌食になりつつありますね。２００４年に株式会社立大学という制度が導入されました。ビジネスマンたちが「大学の教師というのは世間のことを何も知らない。だから、無用のことばかり教えて教育資源を無駄にしている。われわれのような世知に長けた実務家が大学で教えれば、即戦力となる優秀なビジネスマンを育てることができる」と言い出して、特区にいくつか大学を作った。それから15年経ちましたが、今も残ってるのは二つくらいじゃないですか。あとはほとんどが潰れた。そりゃそうだと思いますよ。ビジネスマンが大学作るとまっ先にするのが人件費コストと教育コストの削減だからです。

彼らはまずいかにして教育コストを減らすかを考える。言い換えれば、「どうやって教育しないで済ませるか」を考える。ビルの貸し会議室で授業をやったり、教員を雇わず、職員に授業をさせたり、ビデオを見せて授業の代わりにしたりした。学生たちを集めるときも、「最小の学習努力で、単位や学位が得られます」という売り込み方をした。ある株式会社立大学は「一度も学校に来なくても卒業できます」というのが売りでした。

学習努力が貨幣、学位記が商品だというふうに考えて、それを売り買いするというスキームで考えると、「最低の教育コストで大学を経営しようとする人」と「最低の学習努力で大学を出ようと思った人」が出会えば、そこに「欲望の二重の一致」が成立する。と思いきや、これらの大学はばたばたと倒産した。教育の本質がわかっていない人たちが教育事業に手を出すと必ずこういうことになります。

**堤**　構造改革特別区域法ですね。この法改正は学校を作れるのが「国と地方公共団体と学校法人」という部分に「株式会社」を加えましたが、そもそもの「法の精神」部分についてきちんとした審議がされませんでした。例えば私学には自主性とともに公共性の担保が求められますが、株式会社立という新しい存在はそこについてどう整合性をつけるのか。国家にとってとても重要なこの部分が、置き去りにされてしまったのです。官邸と財界主導で進める構造改革特区の目的は民間活力を使った経済活性化ですから、「既存のルールが経済活動の障害になっている」ということばかりに焦点があてられる。少子化と過疎化で苦しむ自治体側は、どうしても「収入増・雇用増」が第一の目的になってしまう。でも教育でも医療でも第一次産業や公共インフラでも、最も大事なのはむしろそうした経済的側面以外、元々の法律が守ろうとしていた根幹部分の方なのです。そこが疎かにされてしまっているのが、構造改革特区の最大の問題です。

株式会社立大学でもその副作用が吹き出していたのではないでしょうか。結局教育の質は問わず、頭数だけ欲しいということですね。

**内田**　そうです。東京福祉大学が中国人などの留学生を集めて、学生たちが行方不明になったことがニュースになっていましたけれど、この大学も「授業料は取るが、できるだけ教育活動はしない」ことで商売をしていた。経営者は笑いが止まらないくらい美味しいビジネスだと豪語していたそうですけれど、たしかにビジネス的に考えたら、このやり方は合理的なんです。教育コストを最小化したい大学と、最小の学習努力でとりあえずＩＤが欲しいという留学生の出会いが成立しているわけですから。でも、このウィン－ウィンのビジネスも結局は長続きしなかった。

　こういう仕組みを英語では「学位工場（degree mill）」と呼びます。アメリカは大学の設置基準が緩いので、ビルの一室だけ借りて、サーバーを1個置いただけで大学を名乗っているところがあります。そういう大学では、どんな中身のない論文を提出しても、金さえ払えば学位をくれる。実体のない学位ですが、それでも「欲しい」という人がいる。ジャンクな商品を売りたいという人がいて、ジャンクな商品を買いたいという人がいる。合法的な取引ですから、司法は介入できない。ビジネスマインドで大学を経営したら、教育活動をしない代わりに、大学が発行できる何らかの証明書を売りつけるという商売になるに決まっています。それは学位工場の事例を見ればわかります。

　今は学生に1年間海外留学を義務づけている大学がけっこうありますね。これもビジネス的に言ったら、きわめて合理的なんです。だって、授業料を満額もらって、留学先の学校にその一部を払って、残りは「中抜き」できるわけですから。1年間まったく教育活動をしないでもお金が入ってくる。教職員の人件費も、キャンパスの維持管理コストも25％カットできる。だって、学生がいないんですから。それで味を占めたら、そのうち「だったら、いっそ2年間海外に行かせない？」って誰かが言い出すでしょう。たしかに賢いアイディアなんですよね。2年留学させたら、教育コストが50％削減できる。学生が半分しかいないんだから、校舎校地も半分で済むし、光熱費もトイレットペーパーの消費量も半分で済む。でも、このロジックを突き詰めると、そのうち「おい、いっそ4年間行かせちゃおう」という話になる。そしたら大学がなくて済む（笑）。

**堤**　校舎もいらなくなりますね。

**内田**　もうキャンパスも教員も職員も要らない。サーバーが1個あれば済む。最初に授業料だけ振込んでもらって「じゃあ、海外のあの大学に留学してください」と言うだけでざくざくと金が入ってくる……わけはないんですけれど、ビジネスマインドで考えたら、大学の利益率が最大化するのは、大学が存在しないときであるということになる。本当にそうなんです。教育活動をしない大学である学位工場が一番儲かるんです。でも、今の大学人には、このジョークの意味が理解できない人が本当にいる。どうして海外留学1年義務化はよくて、海外留学4年義務化はいけないのか、その違いがわからなくて、ぽかんとしている人間が現に大学を経営している。

銭勘定がうまいだけのビジネスマンが大学の経営をすれば、これと同じ事態が生じます。さすがに「大学をなくす」ということまでは自制しても、「海外留学2年間義務化」くらいのことは思いつきかねない。よその教育機関に丸投げして、それで「いくら抜けるか？」と計算する人間は、そもそも教えたいことがないんです。教えたいことがない人間がどうして大学の経営なんかに手を出すんです？

教育というのは本来「持ち出し」でやるものなんです。自分にはどうしても教えたいことがある、だから身銭を切ってでも学びの場を立ち上げたい。そういう人が教育者なんです。学生を消費者扱いして、「市場のニーズがどうだ」とか「顧客満足度がどうだ」というようなことを言っている人間は教育にかかわるべきじゃない。

特区でできた株式会社立の悲惨な末路を知っていたら、今頃になってまたぞろ「実務家が教えるべきだ」とか「大学の経営にビジネスマインドが足りない」というようなふざけた台詞が出て来るはずがないんです。それと同じことを言って大学を始めた人たちが大失敗した。LEC東京リーガルマインド大学は5年で募集停止になりました。LCA大学院大学は3年で募集停止になりました。TAC大学院大学は申請段階で取り下げになりました。今回はそれとどこが違うのか。今度ばかりは「前車の轍を踏まない」という自信があるなら、どこがどう違うのか、それを語るべきでしょう。

**堤**　繰り返すようですが、特区の規制緩和の最大の問題はそこですね。投資家が入ってきて、いろんなものが経済性と効率を物差しにシステマティックに処理されてゆく中で、子どもたちもある種の「商品」としてビジネスの力学に取り込まれてしまう。10年前、『ルポ　貧困大国アメリカⅡ』の取材現場で嫌というほど見た光景です。あのシリーズはアメリカで起きたことが数年先に日本にやってくる、という警告として出版したのですが、その後本の内容をなぞるように、「構造改革」の名の下に、アメリカ発のビジネスモデルが様々な分野で日本に輸入されてきました。

経済性だけでは価値の測れない教育や医療、第一次産業や公共インフラなどは特に慎重にしなければならないのに、肝心の審議の場に当事者が入っていない。消費者に提供するサービスという位置づけになりますから、この法改正が進むほどに、その実態は教育の本質からかけ離れてゆくでしょう。

投資商品としての教育ビジネスに熱心な人に限って、自分の子どもはそういう学校には入学させませんね。

## 自分の子どもは海外に行かせる〝教育改革者〟たち

**内田**　財界人も政治家も自分の子どもは当然のように中等教育から海外の学校に入れてますね。それは一つの見識でしょうから、僕は別にそれに異議があるわけじゃない。でも、自分の子どもを海外の学校に留学させている人たちは、日本の学校教育についてうるさく「ああしろ、こうしろ」と言うことは自制して欲しいと思う。

以前、ある会議で隣になった人が、学校教育について僕が発言するたびにうるさく反論してくる。どう考えても、彼の言うようなしかたで学校教育を「改革」していったら、子どもたちの学力は低下するし、大学の研究力教育力も落ちる。そういう有害な提言ばかりする。不思議な人だなあと思っていたら、「うちの娘は高校のときからアメリカです。今はハーバードの大学院に行ってる」と自慢げに言うんです。

彼は日本の学校教育を見限って、自分の子どもをアメリカに留学させた。だから、「日本の学校教育を何とかしなくちゃいけない」という喫緊の個人的理由は彼にはないんです。彼が日本の学校教育に期待することがあるとしたら、それは日本の学校を見限って、わが子を海外に留学させた私は賢いということを確認することだけです。だとすれば、彼があらゆる機会をとらえて「日本の学校教育が一層ダメになるような提言」をするのは当然なんです。もちろん、無意識にやっているわけで、本人はあくまで善意の提言をしているつもりなんですけど。僕はそういう人物の話は眉に唾を付けて聞くことにしてます。

**堤**　日本の教育を良くするためじゃなくて自分のため……？　発言する場所を間違えていますね。

**内田**　先日、以前ハーバード大学にいた方が教えてくれたんですが、ハーバードの夏学期になると、日本から政治家の息子とか財界人のドラ息子たちがぞろぞろ来るんだそうです。ハーバードは学費はめちゃ高いですけれど、夏学期だけの学生ＩＤがもらえる。正規の学生じゃないんだけれど、キャンパス内でハーバードの教授の授業を受けることができる。ろくに授業も出ないで遊んでばかりいるんだそうですけれど、日本に帰った後に、「僕がハーバードにいた頃のことですが……」というような話をする（笑）。

**堤**　ハーバードの学歴ビジネス……売る方は笑いが止まらないですねぇ（笑）。

**内田**　別に単位を取ってなくても、学位を取っていなくても、履歴書に「ハーバードで学ぶ」とか「〇〇先生に師事」とか、書き放題でしょ？　嘘じゃないんだから。

**内田**　最近の自民党の政治家って、最終学歴がアメリカの大学という人が多いじゃないですか。でも、あの中には、夏期講習とか外国人向けの語学のクラスを受講しただけの人も結構いると思いますよ。たしかに、夏期講習でも、それが生涯最後の大学での受講経験だったら「最終学歴」ではあるわけですからね（笑）。

安倍晋三は以前の経歴には「南カリフォルニア大学政治学科留学」と書いていましたけれど、実際に取得した単位の半分は外国人のための英語の授業で、学士資格は得られていなかった。今はもう履歴から削除したらしいですけど。

**堤**　学歴は発言に信ぴょう性をつけてしまうので厄介ですよね。大事な政策に関することは、「なんちゃって学歴保持者」の一覧を見ながら聞かないと危ない。文春さんの出番（笑）。

**内田**　多少話を盛るのは別に構わないんです。ただ、そうやって「海外留学で履歴に箔をつけようとした人」たちがこの国の教育政策についてあれをしろこれをしろとうるさく言っていることに僕は腹が立つんです。

この四半世紀、文科省の指示で、教育現場には膨大な無意味なタスクが課せられて、現場は疲弊し果てています。日本の学術的な水準はどうすれば上がるか、若い人たちをどうすれば知的に活性化できるか、といった本筋の問題にはまったく取り組まず、「アメリカみたいなやり方」を導入することに夢中になってきた。FDとか、相互評価とか、PDCAサイクルとか、教育の質保証とか……この四半世紀に大学に押しつけられたタスクは本当に膨大なものです。そのために大学教員が研究教育に割くことのできたリソースの3〜4割がた削られたんじゃないかな。人によってはもっとかも知れません。特に国立大学法人に移行した国立大学の教員たちはほとんど10年にわたって、会議と書類書きに忙殺された。こういう仕事はたいてい若くて、仕事の手際がよい教員に集中しちゃうんです。このタスクに投じられたリソースを彼らが研究と教育に集中することができたら……と考えると絶望的な気分になります。ノーベル賞何個分かの知的損失だったと思います。

**堤**　ああ……会議と事務仕事に大学教員の研究時間を削ることがいかに日本の国益を損ねているか。一握りでもそこから生まれてくる素晴らしいものが、この国の貴重な知的財産だという意識を国のトップに持って欲しいです。

**内田**　大学のシラバスというものがありますね。この授業でいつ何を教えて　どんな知識が身につくか詳細をリストにしろというものですけれど、そんなことができるはずがない。1年半も先に自分がどんなことに興味を持っていて、学生たちに何を伝えたいと思っているかなんて、わかるはずがない。そもそも、教育的にはまるで無意味なことなんです。シラバスというのは工業製品の仕様書なんです。工場で工業製品を作るプロセスを想定して、どういう材料を使って、どういう工法で、どういう効能で、どういう仕様のものを製造するつもりか、それを書けと言っているのです。工業製品の場合だったら、それは必要でしょう。でも、僕らが相手にしているのは、生身の人間ですよ！　工業製品のように規格通りのものを作り出すことなんかできるはずないし、すべきでもない。

今も日本中の大学教員がシラバスを書くために膨大な手間暇を費やしています。教育を「工業製品の製造プロセス」のメタファーで考えるということ自体に僕はまったく同意できませんけれど、それ以上に腹が立つのは、シラバスなんか教育のアウトカムに何の関係もないことです。教育効果が全くない作業に教員たちを忙殺させておいて、それをしないと文科省は助成金を削ってくる。

**堤**　現場の先生たちの話を聞いていると、不満が相当溜まっていますよね。こないだも大阪で現役の公立校の先生が実名を出して府を訴えていましたが、もっと束になって声を上げてもいいと思います。アメリカでは教育をビジネス化するための評価制度を始め、様々なことを現場へ強要した結果、１００万人規模のデモが起きたんですよ。「こんなことをするために教師になったんじゃない」と、爆発したんです。オバマ元大統領の地元のシカゴでものすごいデモが起きたときのことを覚えています。ブッシュ政権から引き継いだ教育の市場化をさらに強化して、教育予算を巡って学校同士を競争させたんですよ。競争に負けたら補助金ゼロといういじめ、過激なレースをさせたことに教師たちが反乱を起こした。

教育は社会的共通資本で公教育は国の財産──国の根幹に関わるものなのにどこまでビジネスにするんだと。海の向こうのことではなく、日本でも同じことです。経済学者の故宇沢弘文氏が繰り返しその価値を訴えられていた「社会的共通資本」について、私たちは今こそ真剣に考えるべきでしょう。結局オバマ政権下では教育のビジネス化政策は止められなかったものの、現場の教師たちが立ち上がり声をあげたことは確実に流れを変えました。前回の中間選挙を見てもわかるように、州や自治体レベルで「草の根レベル」から少しずつですが確実に変わり始めていますよ。

## 現場に自由裁量権を与える大切さ

**内田**　とりあえずアメリカのいいところは文科省がないんですよね。中枢的に全国の教育政策を統括するような巨大な権限を持つ省庁がない。州ごとに教育制度が自主的に決められる。だから、義務教育の年限も州ごとに違うし、進化論を教えない州が出てきたりもする（笑）。でも、それが教育の多様性を担保していて、リスクヘッジにもなっている。

日本の場合も、都道府県の教育委員会に権限があって、各自治体ごとにかなり自由な教育政策が採択されれば、いろんなことが実験できる。どこかの自治体での教育実践が成果を上げていることがわかれば、それを共有することができる。

中枢的に政策を統括して、全国一律に同じ教育政策を強いるのは、教育実践の創意工夫のためにはやってはいけないことなんです。子どもは生身なんですから、一律に扱うわけにはゆかない。だから、子どもと直接接する現場の先生にできるだけ多くの自由裁量権を与えた方がいい。いろんな先生がいて、先生ごとに教育理念も教育方法も教育の目標も違っているという環境が子どもが成長する上では一番なんです。40年近く教育現場にいて、それは経験的に確言できます。

僕は最初東京都立大に勤めて、それから神戸女学院大学に移ったんですけれど、二つの大学の一番大きな違いは、都立大の職員たちには自由裁量権が与えられていないことでした。それは私学に行ってからわかりました。女学院では、現場の人たちが自由裁量権を委ねられている。

公立大学だと、ガラス窓が一枚割れても、何枚も伝票を起票して、稟議のハンコをいくつかもらわないと修理に来てくれない。でも、女学院では、日常的なトラブルだと、現場の職員さんが、自分の責任ですぐに来て、片付けてくれる。伝票を出せとか、稟議のハンコがいるから1週間待てとかいうようなことを言わない。ずいぶん話が早かった。

95年の震災のときに、それは骨身にしみましたね。システムがダウンして、業務命令を発令するセンターそのものが存在しない段階から、自発的に教職員・学生が集まって、復旧作業が始まった。このときの作業工程管理は完全に自主的なものでした。誰も命令しない。なにしろ、どれくらいの被害が出ていて、どこから復旧すべきかについて中枢的にコントロールするセンターが機能していないんですから。でも、驚くほど手際よく復旧作業は進んだ。それは女学院には現場への権限委譲という習慣が根づいていたからだということに後になって気がつきました。指示のないことをしてはいけない、権限のないことをしてはいけないというルールで縛られた公務員たちでは、とてもこんな真似はできなかったでしょう。そのときに、いちいち管理部門に話を上げて、その許諾を得てから動き出すという上意下達の仕組みの非合理性に気がつきました。「ほう・れん・そう」とか言っている組織が一番非効率なんです。

でも、日本の組織はほぼすべて中枢が管理する「ツリー」型の組織ですね。多くのビジネスマンはトップダウンが最も効率的だって骨の髄まで信じ切っている。それ以外にもっと効率的な組織があるのではないかということを想像さえしない。でも、現場に自由裁量権を与えること、実際に研究教育のフロントラインにいる人に大幅に権限を委譲するのが、実は一番効率的で、一番生産性が高いんです。

原発事故以来、さまざまな企業でコンプライアンス違反とか、データ改竄とか、仕様違反とか不祥事が起きましたけれど、現場では「こんなことしていたらいつか大変なことになる」というのはわかっていたはずなんです。わからないはずがない。でも、それを上司に具申しても、「黙っておけ」と言われる。うるさく言い立てると煙たがられて、場合によっては左遷される。上は自分の在職中に事件化しなければ、それでいいと思っている。いつかはばれて大ごとになるだろうけれど、そのときには自分はもう異動しているか退職しているので、関係ないと思っている。

現場に権限委譲しておけば、大きなトラブルが起こることは防げるんです。クラフトマンの直感で、「なんかこのメカニカルノイズはイヤな感じがする」といったことがあれば、ちょっとボルト締めておこうとか、クラックがあるかどうか見ておこうか、部品を交換しておこうかということを、いちいち上司にお伺いを立てなくてもできるという体制があれば、そういう事故や不祥事の多くは未然に防げた。僕はそう思っています。

システムクラッシュを招くようなリスクというのは、だいたい「ジョブとジョブの隙間」に発生するものなんです。誰の仕事でもないし、誰の責任でもないところに「リスクの芽」が発生する。それは気がついた人が自分でさっと「摘んで」しまえばそれで済むことなんです。でも、「ジョブ・デスクリプションに記載されている以外の仕事をする権限はない」というルールで縛られていると、「そこにリスクがある」ということに気がついていながら、手を出すことができない。その結果、カタストロフが発生する。

僕は凱風館という武道の道場の館長ですけれど、「神輿に担がれてる」だけです。特に指示は出さない。会議も開かない。門人たちには「問題点を発見しても僕には通報するな」と言ってあります。「問題点を発見したら、自分ですぐになんとかしてくれ」と（笑）。

だから、現場に権限を委譲しています。必要経費も最初からまとまった額を書生たちに預けています。「必要だと思ったら使ってください。用途の適否については諸君が判断してください。足りなくなったらまた言ってください」と言ってあります。さすがに畳替えとか、サッシの交換とかいう桁の仕事だと僕のところに相談に来ますけれど、それ以下の金額のことについては事務方任せです。でも、そうやって権限委譲していると、システムトラブルは起きないんです。起きても、すぐに補正される。だから、問題点を発見したり、解決したりするために会議を開く必要がない。年に何度か道場の幹部たちに集まってもらいますけれど、それは僕が皆さんに「一年間、お疲れさまでした」とご馳走するためです。

**堤**　現場に自由を与える代わりに、自分の頭で考えてね、と（笑）。トップに覚悟があってこそできるシステムですね。

## どうすれば日本の組織は活性化するのか？

**内田**　日本の組織の問題は、会議と書類書きにあまりに無駄な時間を費やしていることだと思います。日本社会を立て直すためには、組織の生産性を上げるしかないんですけれど、ほとんどの人はそれをトップダウンシステムを強化して、独裁的な仕組みにすることだと勘違いしている。でも、話は逆なんです。

まず優秀なメンバーをリクルートする。しかるのちに彼らに権限委譲する。それが一番楽なんです。独裁的な仕組みにこだわる人たちは、前段の「優秀なメンバーをリクルートする」というところでいきなりまずつまずいてしまう。それは、トップダウン派の人たちは、メンバーをリクルートするときに能力よりも「イエスマンかどうか」を優先的に見るからです。どんな無意味なタスクでも、理不尽な命令でも、上の指示に従う人間であるかどうか、それを最優先の採用条件にする。その人がこれから集団内部でどんな能力を発揮してくれるか、どのような点において「余人を以ては代え難いか」ということには副次的な関心しかない。

たしかに上の言うことに唯々諾々と従う人間ばかり集めたら、効率よく上の意志が下に伝達される組織はできますけれど、そのような組織が生産性の高い組織かといったら、話は違う。イエスマンシップだけを条件に人を集めたら、上の顔を窺って、指示待ちする人間が集まるだけで、自分の頭でものを考え、判断する人間は集まらない。上の人間が見落としたことを指摘し、上の人間が誤った判断をしたときに補正を提案するタイプの人間がどこにもいなくなる。「自分ではものを考えない人間」ばかりを集めた組織では権限委譲のしようがない。「独裁的なシステムが有効だ」と主張する人がたくさんいますけれど、そういう人たちは自分の周りには「無能なイエスマン」だけを集めている。自分の指示を口をあけて待っている人間に取り囲まれていることがうれしくてしょうがないんです。自分が次々と指示を出さないと組織がさっぱり動かないのを見て、「オレがいないと何もできない連中だ」と思って、ご本人はいい気分になっている。でも、それは彼が有能だということではなく、無能なイエスマンばかりの組織を自作した結果なんです。今の日本では、会社だけでなく、行政組織もそうなっています。「安倍一強」とか「官邸支配」というのは、行政の要路に「無能なイエスマン」ばかりを配したことの結果なんです。

日本の組織を何とかしようと思ったら、まず人材登用の第一条件をイエスマンとするというルールを廃止することです。そして、自分の頭で適否の判断が下せる優秀な人材を登用して、彼らに気前よく自由裁量権を与える。もちろん、いろいろな失敗もあるでしょうけれど、組織が活性化し、イノベーションを起こすためには、そうした方がいいんです。イエスマンたちで埋め尽くされた組織でイノベーションが起きるということは絶対にありませんから。

かつての大学はその点では今よりずっと自由でした。適当に研究費がばらまかれて、研究テーマが社会的に有用かどうか、金になるのかどうかなんて誰も訊きやしなかった。だから、海のものとも山のものともつかないような研究を何年も続けることができた。そういう試行錯誤があるから、時々思いがけない学術的アウトカムが出て来た。研究の95%はたいしたアウトカムを生み出さないものでしたけれど、5%の「当たり」が出たら、研究への投資は十分に元が取れるものなんです。

イノベーションというのはいつだって「まさか、そんなところから出て来るとは思ってもいなかったところ」から出て来るものです。だったら、「下手な鉄砲も数撃ちゃ当たる」で予算をばらまくのが効率的なんです。とりあえず研究の成否について予測し査定するコストはゼロになる。

今は社会的有用性があり、換金性が高いことがあらかじめ証明できる研究にしか予算がつかない。でも、先に何が出て来るかわかっている研究がイノベーティヴであるということは論理的にあり得ないんです。

**堤**　「イノベーション、イノベーション」と盛んに旗を立てる一方で、組織の体質やシステムの部分が逆行しているという話ですね。大学の研究に関しては、本当にもったいないと思います。イノベーションを起こさなきゃならないのはまずその環境を作っている人の脳内ですね。

教育でも研究でもそうですが、「無駄なものイコール価値のないもの」という固まった考えは有害になるので外さなくてはなりません。同調圧力が強い日本のような国で今までにない優れたものを誕生させるには、まず何よりも、自由な発想が生まれやすいのびのびした環境を整えることが先でしょう。環境を作ればメンタリティは後からついてくる。だから枠組みを作る側の責任は大きいのです。トップに立つ人間の価値観・思想によって組織の体質も運命も、大きく変わってしまう。今、内田さんが仰ったように、教員を締めつければ、それは巡り巡って日本の知的財産や学校での教育レベル、これから社会に出てゆく子どもたちの知的レベルにマイナスの影響を与えるでしょう。現場を細かく管理するのではなく、全員がそれをやることの真の目的や本質を理解しているか、そこから外れていないかどうかをチェックすることの方が、遥かに重要だと思います。

## 最大の難問――医療の再建をどう行うか

**内田**　人口減少社会においては、国家予算の相当部分を医療費が占めることになります。ですから、医療と保険のシステムをどう設計するのかということが緊急の政策課題になる。でも、これは非常に多くのファクターが絡むので、専門的なチームが必要です。先ほど申し上げたように、これは医療経済学の仕事です。医療と経済の両方のことがわかる専門家が必要になる。アメリカは医療経済学のプロフェッサーが500人ほどいるのに対して、日本はポストが5つしかないそうです。医学、経済学、数学、疫学、統計学、社会学などを横断的に一望できる研究者の数が日本では圧倒的に不足している。でも、そういう人じゃないと、これからの医療政策や保険制度について提言できない。

**堤**　医療と経済の問題は、まさにこれからの日本にとってとても重要な知見だと思います。つい先日名古屋に行って、皆保険と医療の未来というテーマで講演し、国民皆保険制度と薬価についてお話しさせていただきました。例えば今年（2019年）5月に保険に収載された「キムリア」という白血病の薬（CD19 CAR-T製剤）はとても高額で、前後に必要な検査費用や入院費、抗がん剤なども入れると一回4000万円を超えてしまう。製薬メーカー側は患者数はピーク時で216人という数字を出していますが、名古屋大学名誉教授で小児科医の小島勢二氏によるとそれは現時点での話で、潜在的患者数は1万人、今後拡大して行くことを懸念されていました。もちろん薬を売るほうからすると、絶対にとりっぱぐれのない国保に入りたいでしょう。保険証があれば自己負担数十万円で投与できるので患者さんたちは喜びますから政府への反対も出ない。でも本当にそれで良いのでしょうか？　国民皆保険制度があれば高い薬を出し放題という今の仕組みをよく考えてみてください。今回のキムリアのように、保険に収載すればそれが前例となりますから、海外の製薬メーカーや投資家は続々と後に続こうとしてこの市場に入ってくるでしょう。

**内田**　国保で高額の医薬品をどんどん承認していくと患者は喜ぶし、製薬会社も喜びます。これを禁止すると、「金がある人間だけが高額の新薬で治療を受けられ、金がない人間は死ねということか」という批判が必ずある。それはたしかに正論なんです。でも、患者と、製薬会社と、「政治的に正しい人たち」の言い分をすべて聞いていたら、国保は持たない。

**堤**　そもそも4000万円という費用ですが、実は名古屋大学が独自に開発して今臨床研究中のCAR-T製剤は費用が100万円程で済むという。

これを聞いたとき、改めて確信しました。私たち日本人は特に疑問もなく、「薬は高いもの」だと思い込まされている、と。

**内田**　製薬会社は薬価の積算根拠を示さないですよね。「企業秘密です」と言って。

**堤**　そう、企業秘密です。『沈みゆく大国アメリカ』（集英社新書、２０１４年）という本の取材のときに驚いたのは、高額な医薬品の実際の原価を出した団体がヨーロッパで猛烈なバッシングを受けていたことです。薬の場合、開発費以外の費用もとてもかかりますから、例えば企業買収費用や特許料、設備投資などがどんどん価格転嫁されて高くなってゆく。広告費も莫大です。日本は皆保険があるから薬価を精査する公的インフラがありますが、アメリカは政府が薬価交渉権を持ってないから企業側の言い値になっていて、とにかく高い。例えば、ＨＩＶで免疫が低くなった患者さんに処方される薬の会社を買収した若い投資家がいたんですね。１錠約１６００円の薬でそれだってけっこう高いんですが、買収後にその社長さん、いくら値上げしたと思います？

**内田**　10倍ぐらい？

**堤**　55倍。１錠９万円にしたんです。これはさすがに大騒ぎになって大炎上したんですが、合法は合法です。買収費用に弁護士費用、諸々かかっているんだというのが言い分でした。結局、あまりにも炎上したので渋々下げました。４万３０００円に。それだって最初の値段の27倍です。投機の対象となって値段が釣り上がっていくケースは慢性疾患の薬でもよくある話ですね。

　薬は商品ですけど命に関わるものじゃないですか。さっきの話に戻すと、名古屋大学が開発した薬の方はどうでしょう？　大学の研究機関が開発したものはそれが優れていれば日本の知的財産、国民の資産です。だからこそ、国がきちんと予算を入れる価値がある。そもそもアメリカの薬の値段設定はいろんなオプションがあるし、かなり政治的です。

　その『沈みゆく大国アメリカ』に詳しく書いたのは、ズバリ日本の薬価が高い本当の理由です。80年代にレーガン大統領と中曽根首相が交わした「ＭＯＳＳ協議」を皮切りに、日本はかなり不利な状態に置かれています。

　他国の3、4倍の値段で医薬品と医療機器を買わされている。何でこんなに高いんだと、各地の病院の院長たちがよくこぼしているでしょう？

**内田**　3、4倍も高く⁉

**堤**　そうなんです、当時は日本が相当な貿易黒字だったこともあり、林業などいくつかの分野で、輸入するときの承認を事前にアメリカに相談する約束をしてしまった。そこから医療の規制緩和がどんどん進んでいきました。

　日本の国保は素晴らしい制度ですが、恵まれすぎていて患者さん自身が薬のことをあまり調べないですね。「ハゲタカ」がいっぱい飛んで来ている今、国民は言われるがままに薬を飲むのではなく、いのちや身体については責任を持って、例えば出された薬についてはちゃんとお医者さんに聞く、自分で調べたり薬剤師さんに聞いてみるなど、自衛した方が良いでしょう。何を身体に入れているかに関心を持つことは、口から入れる食べ物への関心にも繋がります。

今、消費者庁が食品の成分表示をどんどん緩めていて、去年（2018年）は「遺伝子組み換えでない」という（遺伝子組み換えの方の表示はゆるいままです）成分表示の基準を厳しくしたので、今後は「遺伝子組み換えでない」という表示がされにくくなってゆきます。海外から入ってくる添加物の表示規制も年々緩くなっている。私たち日本人は、何を口に入れているか知る権利をじわじわと奪われているのです。中身に関心を持たず、価格や見た目やCMだけを基準に買って食べる、病気になる、お医者さんに行って出された薬をそのまま飲む。医療費の問題を机上で論じるだけではダメで、このループを私たち国民の側が変えることが、非常に重要だと思います。何故なら最終的に医療費を確実に下げてゆくのは、患者・消費者側の意識だからです。

## 性善説のシステムが一番コストもかからない

**内田**　医療に関して言えば、一番安く上がるのは予防なんですよね。対症的措置には時間もお金もかかる。だったら、ことが起きた後にどう対処するかよりも、ことが起きないためにどう予防するかに資源を投じる方がはるかに費用対効果がよい。
　トラブルの予防のために組織的にどうすればいいのかということについては、繰り返し言うように、現場でリスクの芽を摘むのが一番コストがかからない。堤防に穴が空いていたら、会議にかけて、伝票書いて、稟議書回してから穴を埋めに行くよりも、穴を見つけた人がその場で小石を詰めた方がいいに決まっている。前近代までの社会では、そうやってきたはずなんです。中枢的に統御せず、離散的なシステムにしておくこと、性善説で現場に権限を委譲すること。その方が管理コストが圧倒的に安い。ただし、それを回すためには、「性が善な人」を採用するしかないのですが（笑）。

**堤**　予防にリソースを使い、それを機能させるために「性が善な人」を雇う必要があると？

**内田**　集団成員が基本的に「善人ばかり」だという前提で制度設計すると、システムの管理運営コストは本当に安く済むんです。逆に、人間は基本的に邪悪であり、放っておくと公共のものを私物化し、定められたジョブを果たさないので、監視と処罰が必要であると考えてシステムを設計すると、管理部門に膨大な資源を投じなければいけない。でも、管理部門というのは、いかなる価値も生み出さないセクターですから、管理部門が肥大化すれば、組織はどんどん鈍重で、非生産的で、暗鬱なものになる。
　僕は毎年、野沢温泉にスキーに行くんですけど、スキー場に貸しスキー屋さんがあって、夜の間は靴とスキー板をひと晩１００円で預かってくれるんです。店のお兄ちゃんに１００

円渡すだけで、こちらの名前も聞かないし、別に引換券を渡すわけでもないし、ロッカーにしまうわけでもない。ただ、その辺に立てかけてあるだけ。これに外国から来た人は驚くわけですよね、「誰も盗まないの？　誰も自分のより高い板とすり替えたりしないの？」って。ヨーロッパだったら、持ち主が近くにいないとわかったら、どんなものでもあっという間に盗まれてしまいますからね。

誰も盗まないし、誰も人のスキー板や靴とすり替えないということが前提なので、このひと晩100円で預かるシステムの維持にかかるコストはお兄ちゃんが100円集金する手間（「あ、どうも」と言って缶に入れる）だけで、支出はゼロなんです。鍵つきのロッカーを設置したり、管理人や監視カメラを置いたり、複製不能の引換券を発行する……というようなコストが一切かからない。

性善説で設計された仕組みって、日本社会のところどころにまだ残っていますね。もちろん、すべてのシステムには適用できませんけれど、いくつかの条件をクリアーしたら、「こういう場合は性善説でシステムを回せる」という判定はできるはずなんです。生産性を上げようと本当に思っているなら、できるだけ「性善説ベースト」のシステムを増やした方がいい。

**堤**　私は逆に、ルールや線引きを曖昧にして、「悪いようにはしないだろう」と想定して後で揉めるという場面に遭遇して疑問を感じたことがありました。むしろルールや仕組みは性悪説で作り、人間には性善説で対応という方がお互い気分良くスッキリするんじゃないか？と思います。一方、内田さんのいう、性善説で制度設計すれば運営コストが安くなる、という考え方を聞いて思い出したのは、地方にある野菜や果物の無人販売所ですね。あれは素晴らしい。子どもの頃も見て知ってはいたけれど、アメリカ帰りでもう一度見たときに、うわぁすごいなあと嬉しくなったのを覚えています。

ああいう信頼関係は、みんながお互いさまで助け合う小さな規模だからこそ成り立つのですよね。今は人口減少も進み都市部集中になっていますが、小さなコミュニティで分散してその地域の中で循環していくような計画にシフトしてゆくやり方が良いと思います。長野の佐久市のように、医療も地域の保健師さんや栄養士さん、理学療法士さんが訪問したりお互いさまで声掛けするやり方は、早期発見による予防機能だけでなく、孤独死の人も減らしている。千葉県いすみ市や東京都足立区がやったように小中学校の給食を有機食材や地産地消にするような試みもこれから重要になってゆくでしょう。地域経済に貢献する上に、子どもの健康状態もよくなって自然と医療費も下がります。お互いさまの精神で支え合う小さいコミュニティをたくさん作っていくことが、日本人がこの国の持つ宝を守りながら持続可能な発展をしてゆく一番の近道ではないでしょうか。

**内田**　スモールサイズの「顔の見える中間共同体」なら性善説ベーストで回せるんです。手作業、手作り、手売り、手渡しでやっているので、一見非効率的に見えますけれど、実はほとんどロスがない。そこで食料を生産したり、医療や教育や介護などのサービスを相互支援的にやりとりする。そういう自律的なコミュニティがいくつかゆるやかに連携して、もう少し大きなコミュニティを形成する。そういうところに予算も権限も委譲してゆくことが、統治機構の効率化と生産性向上に最も効果的だと僕は思いますね。

日本はまだまだ豊かな「見えざる資産（invisible assets）」があります。温和な自然環境、治安の良さ、景観の素晴らしさ、神社仏閣、温泉、スキー場、芸能などの観光資源も豊かです。今、ハゲタカやグローバリストたちが群がってそういう日本の国民資源を換金化して、自分たちの個人資産に換えようとしている。まずそれを防がなければいけない。どれくらいのストックがあるのか、それをリストアップして、それをどう守るか、どう使い延ばすか、それを考えるべきだと思います。日本が持っている資源は、すべて精査したら、驚くほどあると思うんです。現金はないけれど、老舗の信用があるとか、お得意さんが多いとか、みたいな（笑）。

それをどうやって長く使い延ばしていくか。それを50年、１００年のタイムスパンで考える。そういうロングスパンで国のあり方を考えるときには、イデオロギーと金儲けを絡めちゃいけない。国力国富というのは貨幣に換算して考えるものじゃないんです。

**堤**　その通りですね。『日本が売られる』（幻冬舎新書、２０１８年）という本はまさにそのために書きました。価値があるからこそ売られようとしている日本の宝物は私たちが考えている以上にたくさんあります。それらを一つ一つしっかりみて、そこから立て直すと決めればいい。世界のさまざまな例を見ても地域レベルでできることから始めています。動き出すことで政治への意識も明るいものに変わってくる。今、全部がトップダウンだから、みんなできないと思ってるんですね。

「こんなところで小さくやったって社会は変わらないよ」って私のところにきて肩を落とされる方、たくさんいますけど、そんなことはありません。逆ですよ。小さくやるから変われる。日本でもまだまだできることが山ほどあるし、一瞬一瞬の選択が未来を変えてゆくからこそ、私も書き続けられるんです。

**内田**　堤さん、今日は本当にありがとうございました。

（『文春オンライン』２０１９年7月24日）

**著者略歴**

**内田樹（うちだ・たつる）**

1950年東京生まれ。思想家、武道家、神戸女学院大学名誉教授、凱風館館長。東京大学文学部仏文科卒業。東京都立大学大学院人文科学研究科博士課程中退。専門はフランス現代思想、武道論、教育論など。『私家版・ユダヤ文化論』で小林秀雄賞、『日本辺境論』で新書大賞を受賞。他の著書に、『ためらいの倫理学』『レヴィナスと愛の現象学』『街場の天皇論』『そのうちなんとかなるだろう』、編著に『人口減少社会の未来学』などがある。

サル化する世界

二〇二〇年二月二十八日　第一刷発行

著　者　内田樹

発行者　鳥山靖

発行所　株式会社文藝春秋

東京都千代田区紀尾井町三―二三
郵便番号　一〇二―八〇〇八
電話　（〇三）三二六五―一二一一（代表）

DTP　エヴリ・シンク
印刷所　理想社
付物印刷　萩原印刷
製本所　大口製本



ISBN978-4-16-391153-3　Printed in Japan

内田樹編著の単行本

# 人口減少社会の未来学

21世紀末、日本の人口は約半数になる——。内田樹、池田清彦、井上智洋、藻谷浩介、平川克美、ブレイディみかこ、隈研吾、平田オリザ、高橋博之、小田嶋隆、姜尚中の11人が人口減少社会の「不都合な真実」をえぐり出し、文明史的スケールの問題に挑んだ画期的論考集。

文藝春秋